JN078821

興国と亡国

──保守主義とリベラリズム

岩田 温
Atsushi Iwata

かや書房

目次

興国と亡国
——保守主義とリベラリズム

第一章　興国の宰相だった安倍晋三、亡国の政治家・知識人

編　集●白石泰稔
装　丁●柿木貴光
著者撮影●岩本幸太

第一章 興国の宰相だった安倍晋三、亡国の政治家・知識人

興国の保守政治家だった安倍晋三

●「日本を日本たらしめているものは何か」

「保守政党の皆さんの役割は、日本を日本たらしめているものは何かということに、常に思いをはせることだ。もし、その方向と違う方向に党や国が進むようであれば、自分たちが行動するという気概を持って取り組んでいただきたい」

国民が大いに関心を寄せた自民党総裁選の最中、ふと私の脳裏に浮かんできた言葉だ。これは安倍晋三元総理が自民党保守系議員の集まりである「保守団結の会」の勉強会の講師を務めた際、冒頭で語った内容だ。自民党が保守政党としての進むべき道から誤った方向に進んだときには、断固として行動する気概を持てと檄を飛ばしているのである。

自民党総裁選で安倍元総理は、この言葉の通り実践して見せたのではないだろうか。

安倍晋三は高市早苗候補を熱心に支援したが、その心には、自民党は保守政党であらねばならないという信念、このまま放置しておけば自民党が保守政党とは呼べぬ方向に進んでしまうという危機意識があった。これが私の解釈である。

菅政権が瓦解した理由の一つは、自民党の岩盤支持層とでも呼ぶべき人々の心が離れてしまったことだろう。携帯電話料金の値下げ、コロナ対応で、菅元総理が熱心に仕事に取り組んでいたことは事実だ。ワクチン接種等、現実的な政策を実現した「仕事師」であったという評価は決して誤っていない。菅義偉総理を鳩山由紀夫元総理並みの暗愚の宰相と決めつけるのは、明らかな間違いであると断言してよい。

しかし、いったい菅元総理はどのような国家観を持った総理大臣なのか、我が国をどのような方向に導きたいのかが今一つ明らかになっていなかった。中国の軍事的脅威にいかに対応するべきなのか、衰えつつある超大国アメリカといかに連携していくべきなのか、そして何よりも我が国の憲法を改正する覚悟があるのか。そういった国家としての根本的な姿勢が見えてこなかった。国民の多くは、マスメディアの報道によって右往左往するのが現実だ。「令和おじさん」「パンケーキが好き」等のイメージで当初は高い支持率を誇ったが、なかなか収まらないコロナ、「Ｇｏ Ｔｏ　キャンペーンがコロナ感染を拡大させた！」「オリンピックで感染爆発が起こる！」等々の根拠が不明確で煽情的な菅政権批判がテレビで展開され始めると、支持率はあっという間に落ちていった。

だが、安倍政権を熱心に支えていた岩盤支持層、保守政党としての自民党を支持する人々は、そうした一般の国民とは行動原理が異なる。彼らは自民党が保守政党としての理念を忘れているときに、政権から心が離れていくのである。集団的自衛権行使の限定的容認という歴史的快挙を成し遂げた際、マスメディアの安倍批判は常軌を逸したものだった。「お前は人間じゃない。叩き斬ってやる」とまで叫んだ非常識な政治学者まで存在した。しかし、安倍政権の岩盤支持層は、そうしたマスメディアの大々的な反安倍キャンペーンにもかかわらず、安倍政権を支持した。安倍総理が明確な国家観に基づいて、たとえ国民に反対されようとも将来世代のために成し遂げておくべき仕事だと決断したことを知っていたからだ。保守政党としての自民党を熱烈に支持する岩盤支持層は、全国民の中で圧倒的大多数を占めるわけではないが、少なからぬ人間がこの岩盤支持層に属している。

●総裁選における安倍元総理の狙い

菅総理の総裁選不出馬が明らかとなって以降、安倍元総理は周囲の人が驚くほど熱心に高市候補を応援した。高市候補が勝ち、総理大臣になることは極めて困難な情勢であったことは周知のとおりだ。多くの政治家が勝ち馬に乗ろうとするのが総裁選だ。誰もが負け組に加担して「冷や飯」を食べたくない。そうした平均的な政治家の行動原理から見れば、安倍元総理の行動は奇怪な行動に他ならなかったであろう。だが、自民党という政党の進む道を誤らせたくない、自民党が保守政党であらねばならないという思いこそが安倍元総理の行動原理だったと仮定すれば、今回の高市支持の理由は明らかだろう。高市氏が誰よりも明確な国家観を示す政治家であったからだ。

結果として高市候補は敗れ、岸田文雄総理が誕生した。だが、この高市候補の出馬の意義は大きかった。河野太郎、岸田文雄、野田聖子の三氏のみで自民党総裁選が行われていたと仮定してみよう。自民党の岩盤支持層は、どの候補を応援すればよかったのだろうか。おそらく、それぞれの候補の演説を聞きながら「入れたいと願う候補者がいない」と感じ、自民党への期待そのものが薄れていったはずだ。

さらに言えば、高市候補が出馬したことによって、全体の議論の方向性が「保守」の方向に向かった。

河野太郎氏は党総裁選への出馬を表明した記者会見で冒頭、次のように語っている。

「日本を日本たらしめているのは、長い歴史と文化に裏づけられた皇室と日本語だ。そういうものに何かを加えるのが保守主義だ」

奇しくも安倍元総理が指摘した「日本を日本たらしめている」存在について、河野氏は語っていたのだ。自民党が保守政党であり、保守主義の立場を取らなければ、総理総裁への道は困難であることを意識した発言であった。

岸田氏は日本の課題であり続けてきた「敵基地攻撃能力」の保有に関して前向きな発言をしたが、これは従来の岸田氏の姿勢とは明らかに異なる発言だった。この発言もまた、自民党の岩盤支持層を強く意識した発言に他ならなかった。

野田聖子氏も、「保守」については言及した。

「次の日本をつくるために、これまで主役になれなかった女性、子ども、高齢者、障がい者がしっかりとこの社会の中で生きていける、そして生きる価値があるんだという保守の政治を自民党の中でつくり上げていきたいと思います」

女性も子どもも高齢者も障がい者も生きているのだから、何を言いたいのか意味不明としか言いようのない発言だが、ここでも「保守」に言及されている点は注目に値するだろう。河野氏、岸田氏、野田氏が真に保守と呼ぶに相応しい政治家なのか、私は極めて疑問に思っている。だが、彼らが口先だけでも「保守」を語り、「保守」を意識した演説をしたことこそ、今回の自民党総裁選における「高市効果」に他ならない。

総理大臣に就任後も靖国神社へ参拝することを明言し、憲法改正に積極的な高市早苗候補の出馬によって、候補者間の議論の全体的構図が保守系に動いた。保守を自認し、保守として認められなければ自民党の総裁には相応しくないという空気が、徐々に醸成されていったのである。

安倍元総理が高市早苗氏を熱心に応援したのは、勝ち馬に乗るためではなかった。自民党を健全な保守政党であり続けさせるためには、高市早苗候補の出馬、そして当初の情勢からすれば驚くほど多くの議員票が集まることが必要不可欠だった。岩盤支持層たる保守を無視して、自民党総裁にはなれないし、なるべきではないという意識が自民党の政治家に共有されること、これが安倍元総理の狙いだった。だとすると、自民党を保守政党たらしめている存在こそが安倍元総理であったということだろう。

●自民党が保守政党として活躍してきた時期は短い

自民党総裁選の結果を見て、私はツイッターで呟いた。「選挙結果を見て一言で表す。安倍晋三は救国の保守政治家だ」。唐突に安倍元総理について言及したために驚いた方も多かったようだが、私が伝えようとしたかったのは、自民党を保守政党であり続けさせることを第一の目的として闘いに挑んだ安倍元総理の信念に敬服したからである。

自民党を保守政党たらしめているのが安倍元総理だとの指摘に、違和感を覚える人もいるだろう。すなわち、安倍元総理とは関係なく、そもそも自民党は保守政党ではないかとの反論である。

確かに自民党は保守政党と目されている。一九五五年の日本民主党、自由党の「保守合同」による成立以来、占領期によってGHQに強制された憲法の自主的改正を掲げ、左右の全体主義との対決姿勢を明確にし続けてきた。冷戦下において共産主義勢力とは明確に一線を画し、自由民主主義体制の擁護を唱え、独立国家としての我が国の在り方を模索することを掲げてきたからだ。

掲げてきた言葉そのものは、どのように解釈しても革新系の言葉ではなく、保守系の言葉だった。こうした言葉を「左翼的」だと捉える人は、ほとんど存在しないはずだ。だが冷静に判断してみると、自民党が堂々たる保守政党として活躍してきた時期は極めて短いと言わざるを得ない。占領期にGHQによって強制された憲法が我が国の最高法規であることに強い違和感を示し、憲法改正の重要性を訴えていた鳩山一郎。日米安全保障条約の不平等性を解消し、独立国家としての名誉を取り戻し、その後に憲法改正を望んでいた岸信介。この二人の宰相の時代は、まさしく自民党が保守政党として活躍した時代であった。だが、岸自身が〈総理がみずから改憲に意欲を持ったのは、私が最後なんです。〉（原 彬久編『岸信介証言録』中公文庫）と語っているように、「所得倍増計画」で有名な池田隼人内閣以降、総理が本気で憲法改正を目指すことはなかった。

保守政党として本格的に憲法改正を目指すのではなく、政権維持と利益配分、利権確保に熱心な政党であり続けることに自民党は舵を切った。表面的には社会党と丁々発止の議論を展開しながらも、暗渠で繋がり、持ちつ持たれつの良好な関係を築きながら、ともに現状維持と権力の甘みを分配する国対政治に象徴される「五五年体制」が誕生したのである。なお、「五五年体制」との言葉が一般的だが、鳩山内閣、岸内閣の時代をその後の自民党政治と区別するためには、岸内閣が退陣した一九六〇年を境とした「六〇年体制」と名づけたほうが正確であると私は考えている。

自民党は保守政党であるとの矜持を忘れ、社会党との間に妥協を積み重ね、異なる意見の持ち主との妥協こそが政治であるとまで考えるほどの政党になり果てた。その象徴的な事件こそ、自民党が下野する直前の宮澤内閣における「河野談話」の発表に他ならなかった。この河野談話を根拠として、中学校の歴史教科書では全社の歴史教科書で「従軍慰安婦」について記述される事態に立ち至った。

●『歴史教科書への疑問』が指摘した重要な観点

このとき、自民党を保守政党たらしめようと若手議員が「日本の前途と歴史教育を考える若手議員の会」を立ち上げる。平成九年二月二十七日のことである。代表に中川昭一、事務局長に安倍晋三、幹事長代理には高市早苗の各氏が就任している。「事実に基づかない、反日的な教科書で子供達は学んでいくのか。この子供達が担う次代の日本は大丈夫だろうか」との思いこそが、ここに集(つど)った若手議員たちの共通認識だったと中川昭一氏は記している。

早逝(そうせい)してしまった中川氏は、保守政治家と呼ぶに相応しい人物だった。彼は保守主義について、次のように指摘している。

〈真の保守主義は「守るべきもの」と「変えるべきもの」をしっかりと認識し、バランスを取りながら「守るべきもの」はしっかり守り、「変えていくもの」は変える。さらに言えば、「守るべきもの」にしても単に「いい部分」を残すのではなく、さらに生き生きとしたものに進化させていく。〉(中川昭一『飛翔する日本』講談社インターナショナル)

保守主義とは決して頑迷固陋(がんめいころう)な態度を指すのではなく、守るべきものを守りながらも、賢くしなやかな変化を求める思想であることを、しっかりと把握している。仮に中川氏の早逝がなければ、中川昭一氏は総理大臣の職に相応しい器を持った人物として活躍されていたはずだ。

高市氏はこの会に参加した理由を、次のように述べている。

〈会の設立に参加した理由は、日本の前途への言いようのない危機感を覚え始めていたからだ。リベラルな政治家や一部マスコミによって宣伝される「社会の空気」なるものが、政治の判断に多大な影響を与え、時には国益を損ない、日本の主権や名誉を侵される状況を作り出しているのではないか、との恐怖心を抱いていたのだ。〉

〈社会科教科書の記述は、あまりにも屈辱的・自虐的であり、これを教材として使い成長していく若者たちが、日本人として愛国心も誇りも持ち得なくなってしまうのは自明の理である。〉（日本の前途と歴史教育を考える若手議員の会・編『歴史教科書への疑問』展転社）

今回の総裁選に出馬した高市氏もまた、当時から中川氏、安倍氏と志を同じくし、日本社会の左傾化の問題点を指摘していた政治家であった。この繋（つな）がりを無視して今回の総裁選を論じてみても、それはあまり意味を有さない。当時から安倍氏、高市氏は政治的、思想的同志だったのである。

この研究会がすさまじいのは、毎週講師を招いた勉強会を行い、相当踏み込んだ議論が交わされていることだ。多忙な国会議員が週に一度集まって長時間にわたる勉強会を開くという点からも、参加議員の並々ならぬ熱意が伝わってくる。当時、問題視されていたのは「従軍慰安婦」が中学校の歴史教科書に記述されていたことだが、この慰安婦問題は大きく分けて二つの点が問題とされた。一つは、そもそも日本軍による慰安婦の強制連行は事実なのか否かという問題だ。もう一点は、仮にそれが事実だとして、そうした問題を中学生に教えることは適切なのかという問題である。

講師の講演録、質疑応答を収めた『歴史教科書への疑問』を読んでみると、高度な議論が交わされていることが確認できる。慰安婦問題の記述を巡っては藤岡信勝・東京大学教授（当時）とともに吉見義明・中央大学教授（当時）が招かれ、異なる見解の両者の意見が発表の場を与えられている。決して、結論ありきの勉強会ではなかったと言えるだろう。また、歴史教科書への記述とはいかにあるべきかとの問題についても、坂本多加雄・学習院大学教授（当時）が実に的確な講演を行っている。様々な歴史の中から取捨選択して中学生に提示するのが歴史教科書であり、重要な観点は日本国民を育てるのに相応しい歴史教科書であるべきだとの指摘である。

いずれの講演も極めて興味深いものだが、この講演録の中で私が最も興味深く読んだのは、河野官房長官談話の取りまとめの責任者であった石原信雄前官房副長官（当時）、そして河野洋平元内閣官房長官（当時）本人の講演とその質疑応答である。この部分を読んだだけでも、河野談話が事実に基づかない憶測と韓国政府に対する政治的妥協の産物に他ならないことが確認できる。

実務の責任者であった石原氏によれば、警察庁、防衛庁、外務省、文部省、厚生省、労働省の資料を精査させた。その際、本庁だけの調査で終わらせるのではなく、警察であれば都道府県の警察本部、文科省では各国立大学の附属図書館等々を隈なく調査させたという。

その調査の結果、石原氏は次のように述べている。

「一番問題になりました、本人の意に反する形での募集が行われたのかどうかという点につきましては、少なくとも文書類では確認されなかった」

河野氏もこの点については実に率直に、次のように認めている。

「女性が強制的に連行されたものであるかどうかということについては、文書、書類ではありませんでした。女性を強制的に徴用しろといいますか、本人の意思のいかんにかかわらず連れてこい、というような命令書があったかといえば、そんなものは存在しなかった」

つまり石原、河野両氏は「本人の意に反する形での募集」に関しては資料的裏づけが全くなかったと明らかにしているのだ。

●安倍氏の考える保守主義を端的に示した教育論

本来であれば、ここでこの問題は終了していたはずだ。何しろ、事実を証明する証拠が存在しないからだ。しかし、まことに奇妙なことに、河野談話が発表されることになる。

どのような論拠によって河野談話が成立したのか。それは、慰安婦であったと自称する一六人の証言者の証言が資料的裏づけのないまま事実と認定され、その結果として河野談話が成立したのだという。河野氏の無責任極まりない発言が、実に興味深い。

「資料はありませんでしたが、もろもろ様々な人たちの発言などを聴いていると、やはりいろいろなことがあったのではないかと。…（略）…これはそう簡単なことではなかったのではないか、と思える節もある」

「思える節もある」とは、河野氏個人の単なる憶測だろう。さらに、被害者でなければ説明できないような証言がその中にあったと河野氏は判断し、そうした証言を「重く見る必要がある、というふうに私は思った」とも述べている。被害者でなければ説明できないような証言と言われても、歴史家でない河野氏の判断が正確であったのか国民は知ることすらできない。国家の歴史、国家の名誉にかかわる重大事における判断基準が「思える節もある」、「私は思った」との河野氏の全くの個人的な憶測であったことに慄然とするが、こうして河野談話が発表されることになるのだ。なお、石原氏は、韓国政府から日本政府に幾度にもわたる要望があったことを認め、河野談話の発表には韓国政府に対する「外交的な配慮」があったことを否定できないとも述べている。

要するに河野談話とは、資料的裏づけのないまま、慰安婦であったと自称する女性の主張を真実であると思い込み、韓国政府への外交的配慮からつくり出された談話であったということだ。この杜撰極まりない河野談話が発表されたことで、日本の中学生たちが学ぶ全ての教科書で「従軍慰安婦」が記述されることになったのである。

九回にわたる勉強会での講演、質疑応答を終了した後に、二八名の国会議員が小論文を執筆している。その中に収められている安倍氏の教育論は、安倍氏の考える保守主義を端的に示している。

〈小中学校の歴史教育のあるべき姿は自身が生まれた郷土と国家に、その文化と歴史に共感と健全な自負を持てるということだと思います。日本の前途を託す若者への歴史教育は、作られた、ねじ曲げられた逸聞を教える教育であってはならない。〉

●常識こそが保守主義を支えている

自国を恃み、驕りたかぶって他国を軽蔑するような感情ではなく、自分の生まれた郷土、国家に対して健全な愛着を持つこと。これは多くの国民の常識にも合致する。実は、常識こそが保守主義の根底を支えている重要な一部分なのだ。特別に抽象的な議論を弄さずとも人間が自然に抱く感情がある。そうした感情を知識人たちは軽蔑し、空理空論に溺れがちである。そうした空理空論ではなく、具体的で素朴な感情を大切にするのが保守主義の一つの重要な要素である。

若き日の安倍元総理、中川昭一氏、高市早苗氏らの原動力とは、自民党が保守政党ではない方向に向かってしまっていたことに対する憤りの念だった。保守政党たるべき自民党の官房長官が資料による裏づけを無視し、他国への外交的配慮から歴史を極めて自虐的に解釈し、発表する。その結果、我が国の将来を担う中学生の教科書に「従軍慰安婦」の文字が記述される。いったい、自民党は何をしているのか、健全な保守政党たるべきではないのか。この一念に突き動かされて発足したのが「日本の前途と歴史教育を考える若手議員の会」に他ならなかった。

現在、自民党は保守政党として国民に広く認識されている。しかし過去を振り返れば、後藤田正晴、加藤紘一、河野洋平、野中広務といった非保守系で「リベラル」色の強い政治家が大きな影響力を有していた政党でもあった。あるいは、政治とは妥協の産物と考える竹下登のような調整型の、主張することを避ける政治家が権勢を振るう政党でもあった。

自民党が保守政党であることを忘れてしまっているような政治家に、総理総裁を任せてはならない。断固たる思いが安倍元総理を突き動かしていた。

重要なのは、次世代の安倍晋三、中川昭一、高市早苗を自民党が育て上げていくことだ。こうした精神の系譜というものが断たれれば、再び自民党は保守政党から逸脱し、その場しのぎの弥縫策（びほうさく）に終始する政治屋の集団となる。

［初出］「安倍晋三は救国の保守政治家だ」（『月刊ウイル』二〇二二年十二月号）

河野太郎の危険な政治血脈

●「河野なんかは偽悪者なんだ」

血筋、血統で他者を批判するのは愚かなことだ。たしかに、小林秀雄や江藤淳の両親、祖父母を徹底的に調べ上げたとしても、評論家としての小林秀雄や江藤淳の真の姿に肉薄することはない。思想評論はあくまで個人の思索の産物であり、血筋や血統を持ち出すのは筋違いである。

だが、世襲政治家の場合はどうだろうか。

最も身近に存在する政治家としての父、祖父の影響を抜きに、その政治家を論ずることは不可能だろう。岸信介を論ずることなく安倍晋三を語るのは滑稽(こっけい)でしかない。憲法改正、日米安保の改定。岸は保守政治家として力の限りを尽くした。だが、日米安保改定で挫折した政治家でもあった。安倍は祖父の志を果たさんと果敢に取り組み、挫折を乗り越えようと命の限りを尽くした。岸なくして安倍なし。誰もが理解できる。常識だろう。

政治家を志す原点が父や祖父にあった場合、彼らの志や無念を語らずに当人を論じても無意味である。

私は河野一郎、洋平、太郎の河野家三代について論ずる。懐古趣味であったり物好きという立場から論じようとは思わない。河野三代の歴史を辿ることによって、次期総理との呼び声が高い河野太郎を分析する。極めてアクチュアルな現代的課題として、河野三代の功罪を問う。

河野一郎は首相にこそなれなかったが、日本政界・自民党の実力者だった。『河野一郎自伝』

（徳間書店）を一読すれば明らかなように、一郎は豪放磊落な政治家だったのだろう。保守陣営に属しながら、国会で吉田茂を徹底的に批判する。この迫力は余人をもって代えがたいものがあった。だが厳密に精査してみると、一郎は豪放磊落な政治家を演じていたと評すべきであろう。岸信介は一郎について喝破している。

〈河野なんかは偽悪者なんだ。本来いい人間なのに妙に悪者顔するんだ。〉（原　彬久『岸信介証言録』、毎日新聞社）

世の中には偽善者が溢れているが、同じ数ほど偽悪者もいる。自らを悪の巨魁であると演じたがる人々も存在する。

早稲田大学を卒業し、朝日新聞社を経て、国会議員に当選。一郎は、圧倒的な権力を持つ軍部に鳩山一郎と共に抗した政治家だった。彼は軍部と闘った自負があった。戦後日本を政党人である自身が立て直したいと強い思いを抱いていた。だが、公職追放の憂き目にもあっている。彼の思いは鳩山総理の誕生だった。鳩山総理実現に向け、反吉田茂路線を貫いたのが一郎の生涯だった。

●何らかの「密約」があったのではないか

一郎の政治家としての時の時は、ソ連を相手に漁業交渉を解決した瞬間だった。日本の主張に聞く耳を持たないイシコフ漁業大臣では、交渉がまとまらない。そう判断した一郎は、首相のブルガーリンに直接交渉を申し込む。だが、ブルガーリンの論理は帝国主義の論理そのものだった。少し長くなるが、引用してみよう。

ブルガーリンは言った。

〈日露戦争では貴国の方が勝った時には、私の方から樺太も取れば、漁業の権益も取った。ところが、今度は敗けたのだから、こっちのいうことを聞くのが当たり前ではないか。にもかかわらず、日本は、ソ連側のいうことはなにも聞かない。そして、食い下がって、ロンドン交渉でもそうだが、みんな私の方が譲歩しているじゃないか。私の方でいま残っているのは、クナシリ、エトロフの問題だけであって。あとは全部、貴国のいい分を聞いているのだから、問題は解決しているのと同じだ。もしクナシリ、エトロフもソ連が譲歩すれば、私の方は戦争に勝っても、まるで敗けたのと同じようなものじゃないか。そんな馬鹿なことは、国民に対してできるわけがないではないか。〉

盗人猛々しいとしか言いようがない発言だ。戦争で勝ちさえすれば何をしても構わないという傍若無人(ぼうじゃくぶじん)な「論理にもならぬ論理」である。だが我々は記憶しなければならない。ロシア人はこのような認識を持ち続けている。話し合いで北方領土が返ってくる、ロシアに譲歩すればロシアも譲歩する、などとの主張は幻想にすぎない。

さて、この侵略主義者ブルガーリンの発言に対し、一郎は一説ぶった。

〈ソ連の総理大臣として、世界の平和に寄与しようという考えがあるならば、また、日本の実情が分っており、そしてこの日本の世論、日本のいうところを、少しでも日ソ両国の国交調整のために寄与せしめよう、これをまとめるために信頼しよう、協力しようという気持があるならば、当面の漁業問題が一体なんであろうか。（中略）これくらいのことがソ連の総理大臣として、できないのか。それができないならば、あまりえらそうな議論はしない方がよい。〉

一郎の熱弁を聞き終えたのち、ブルガーリンはイシコフ漁業相に命じた。漁業問題に関して日本と協力するように。一郎の勝利だった。

だが冷静に分析してみると、奇妙である。なぜ帝国主義の論理を前面に押し出していたブルガーリンが河野の議論に納得したのか。理由がわからない。この程度の話で納得するような政治家は、いないはずだ。ましてや全体主義国家ソ連の首相である。『河野一郎自伝』では全く触れられていない何らかの密約があったのではないか。

あくまで、これは私の憶測である。だが、こうした憶測がある程度信憑性を持つ事実を次に論じよう。

●国売り給うことなかれ

一郎は、鳩山内閣の悲願であった日ソ国交回復問題でも大きな役割を果たした。病身（びょうしん）であった鳩山を全面的にサポートし、日ソ共同宣言にまでこぎつけたという話になっている。だが、一郎がイシコフ漁業相との間で行った裏交渉のソ連側議事録がロシア政府公文書委員会現代資料保存センターで公開された。名越健郎氏が『クレムリン秘密文書は語る』（中公新書）で赤裸々に、この問題について叙述している。ソ連の秘密の議事録から一郎の国を売る姿勢がにじみ出ている。一郎は北方領土問題について次のように語っている。

〈米国が日本に沖縄と小笠原を返還しない限り、われわれも今後、択捉と国後の問題を持ち出さない。これら二島については、米国が沖縄と小笠原を返還した場合にのみ提起する。だから、協定書にその他の領土問題については今後の検討課題だと規定したとしても、これは国民に見せるための単なるポーズでしかないのだ。〉

〈米国が沖縄と小笠原を返還したあとで日ソの領土問題を討議するということについてだが、この条件は貴国側から提案されたものだということにしてほしい。日本の世論にとっても、国民にとってもその方が自然に映るからだ。〉

〈国民に見せるための単なるポーズでしかないのだ。〉

〈国民にとってもその方が自然に映るからだ。〉

一郎は日本国民を騙しの対象にしている。ソ連の政治家を信用し本音は語るが、日本国民は欺けとの姿勢が顕著である。いったい、どこの国の政治家なのか。文字通り我が国の領土を売り、国民を欺く政治家は、売国奴と呼ばねばならない。なぜ日本国民を騙してまで領土交渉でソ連に譲歩するのか。その意味も意義も分からない。国売り給うことなかれとしか言いようがない。

ソ連から帰国した一郎は、中曽根康弘に語りかけた。

「中曽根君よ、戦争はもうないよ。世界大戦はもうないんだ」

全く現実から乖離した虚妄の発言だ。現在でも、ロシアがウクライナに侵攻し、戦争が起こっている。現実を直視することが出来ない一郎の安全保障観が、端的に表明された発言だろう。こうした妄想じみた安全保障観に基づいて、一郎は国を売る。

●河野一郎が総理になれば日本は亡びていた

岸内閣における日米安保改定の時である。学生運動が盛り上がり、安保反対の声が木霊した。だが旧安保条約を新安保条約に改定する岸の決断は正しかった。保護国扱いされていた日本が米国と対等な関係になろうというのが安保改定の趣旨だった。

奇妙極まりないのが、反米を掲げながら、安保改定に反対していた人々である。独立国家としての矜持を示そうとする岸内閣の決断に反対しながら、米国からの自立を訴える。率直に言って愚かである。論理的整合性が保てない主張なのだ。米国に対して対等でありたいと願うならば、岸内閣の方針を支持するのが常識だ。岸は日本を米国の属国にしようとしたのではない。属国のような待遇から抜け出そうとしたのが岸の安保改定だった。時代の熱狂とはいえ、あまりに非合理的で論理性を欠如した雰囲気が日本を覆っていた。

昭和三十五年五月二十日、河野は再び国を売る選択をする。安保改定に向けての本会議を欠席したのである。理由は縷々論じられているが、安全保障を政争の具にする愚かしさについては誰も否定できない。一郎は日本の安全保障よりも政局を重視した。そして、この決断によって政局も見誤った。国を売る売国奴であり、政局を見誤る愚か者。それが河野一郎である。

『岸信介回顧録』（廣済堂出版）において、岸は欠席した面々について論語を引用し批判している。

〈我ガ徒ニ非ザルナリ、鼓ヲ鳴ラシテコレヲセメテ可ナリ。〉

宮崎市定は『論語の新研究』（岩波書店）で、次のように解釈している。

〈彼はもう學徒とは言えない。諸君はデモに押しかけて行って攻撃しても構わない。〉

結論を述べよう。ソ連との交渉において日本国民を欺けと提案し、日本の安全保障の根幹である日米安保条約を否定した。これが河野一郎である。政治は結果責任だ。反吉田等々、党内の派閥の論理もあったことは理解できる。だが繰り返す。政治は結果責任だ。一郎が総理大臣になっていたならば、日本は亡びていたのでないか。

●河野洋平の精神状態を疑う

「君も将来政治家になるだろう」

フルシチョフは洋平に語った。一郎が洋平を伴いクレムリンを訪問した際の逸話である。洋平はこれが私の最初の外交経験だと語っている。フルシチョフの手を握り、分厚い手だったとの印象を持った。ただ、分厚いのは自身の面の皮ではないか。

慰安婦問題について、洋平は次のように語っている。

〈私が河野談話を発するなかで最も大事に考えたことは、これによって日本の名誉を回復し、後の世代が担わなければならない負担を少しでも軽くできるのではないかということでした。否定しようのない事実を自ら率直に認めて謝罪をし、そこから近隣諸国との和解を進めていくことで、戦時中の行為によって傷つけられた自国の名誉を少しでも回復したいと思ったのです〉（『日本外交への直言』岩波書店）

狂気との言葉を思い出さずにはいられなかった。我が国の名誉を守りたいと言いながら、我が国の名誉をことごとく汚辱する。私は東京都の木々を守りたいと絶叫しながら木々に向かって塩酸をばら撒く。精神状態が大丈夫なのかと思わずにはいられないほどの錯乱ぶりである。狂気の人、河野洋平。後の世代が担わなければならない負担を少しでも「軽く」できるのではないかと言うが、「重く」しているのが洋平だろう。少なくとも河野談話が発表されたことにより、日本国民は被害を受けている。韓国に対する事実に基づかない中傷を受けたことはあれ、その精神的負担が軽くなったとは寡聞にして聞かない。

●安倍・中川・高市による追及

河野談話が狂気じみているのは、事実を無視して自身の憶測と妄想に基づいて談話を発表した点である。河野談話について、若き日の安倍晋三、中川昭一、高市早苗は厳しく批判している。

「日本の前途と歴史教育を考える若手議員の会」（代表・中川昭一　事務局長・安倍晋三）で、実際に実務を取りまとめた石原信夫元官房副長官が河野洋平と議論している。石原氏が語っていることは衝撃的な内容だ。警察庁、防衛庁、外務省、文部省、厚生省、労働省の資料を精査した。だが、慰安婦が本人の意思に反する形で強制的に連行された証拠は一例も見当たらなかった。さらに、洋平もこの事実を認めている。文書、書類で強制的連行が裏打ちされたことはない。

資料がないにもかかわらず、河野は妄想をたくましゅうして、いろいろなことがあったのではないかと思える節もあるなどと断言し、我が国を不当に貶（おとし）めた。

洋平は恥じることなく、次のように語っている。

〈談話に対して、官憲が強制連行したという明確な証拠はないという批判が最近も見られるが、まず、当事者の方々の証言に謙虚に耳を傾けるべきであると思う。日本政府の調査に対し、当事者の方々がそのつらい体験を話してくださったのは、こちらの姿勢への信頼が生まれて初めて語ってくださったのである。「証拠がない」という批判は、その信頼を裏切るものだと、

まず指摘しておきたい〉
証拠がないという事実を述べると、信頼を裏切るものだと恫喝する。一郎はソ連に日本国民を騙せと提案した。洋平は日本国民に事実を言うなと恫喝する。ふざけた親子である。歴史家が、「証拠は全くないが信頼関係があるのだから、これは事実だ」と述べたとする。歴史家失格だろう。歴史家でもない身でありながら、自分自身の妄想と臆見と独断で日本の歴史を裁く。何様のつもりなのだろうか。正気を失ったとしか思えない。

●平和主義を信奉する道化師

洋平は安全保障政策についても常識がない。彼は宇都宮徳馬を尊敬している。彼が懐かしく思い出すのは「核兵器で殺されるよりも、核兵器に反対して殺されるほうを、私は選ぶ」との宇都宮徳馬の言葉である。

落ち着いて、もう一度この言葉を冷静に眺めてほしい。狂っていないか。核兵器で殺されるのは個人ではない。夥しい人々が核兵器によって殺戮される。核兵器に反対して殺される人は見たことがない。罪なき人々が殺戮される事態を回避したいと願うのが政治家だ。宇都宮にせよ、河野にせよ政治家の資格はない。彼らは実際に日本国民が殺される事態を回避しようと努力しているようには思えない。夢の中で寝言を叫んでいる。だが、そうした寝言に耳を傾ける人々はいない。せいぜいのところ、ボランティアで反核平和運動にでも励んでいればよい。

世界中の人々が驚愕（きょうがく）した事件の一つが天安門事件である。民主化を求める学生、そうした学生を支援する人々が数多く存在した。だが、中国共産党はやはり全体主義国家だった。民主化を求める学生たちを暴力によって封じ込めようとした。

鄧小平の下（もと）で経済の自由化を成し遂げた。いずれ中国も政治の自由化に向かうのではないかというのが欧米の楽観論だった。しかし、鄧小平は経済の自由化は認めたが、政治の自由化は認めなかった。共産党による一党独裁体制をあくまで守り抜く態度を改めることはなかった。国民の基本的人権を無視した天安門事件について、欧米各国の対応は厳しかった。中国は、何とかして活路を見出したいと願っていた。そんな折にターゲットになったのが日本だ。銭其琛（せんきしん）が自らの回顧録で一番簡単に突破できるのが日本だと語っている。日本を利用して、その後、欧米との関係改善に向かう、これが彼らの戦略だった。平和主義を信奉する平和の道化師（マヌカン）洋平は、天皇陛下の訪中について次のように語っている。

「天皇訪中は、宮沢首相のアジア重視の姿勢がよく表れ、外交として成功した案件であった。言うまでもなく、皇室を政治的に利用するようなことなどあってはならないが、天皇陛下の訪中は、江沢民主席の来日時にも要請がなされるなど中国側がかねて熱望していたことでもあった」

愚かである。中国が何を目標としていたのか、彼は何も分かっていない。最も貧弱な外交力の日本に狙いを定め、国際的な孤立から抜け出そうと必死だった。基本的人権を無視した中国が非難されるのは当然だ。平和主義の道化師には事実も真実も分からない。彼が目指すのは一方的な日中友好である。観念が実態を凌駕する。稀(まれ)に見る愚か者だろう。

●河野太郎は信念なき政治家

河野太郎という政治家は、何をしたいのかが分からない。総理大臣になりたいという野望だけは明らかだ。彼の中で明確だったのは反原発だ。しかし、自民党の総裁選の際には反原発も取り下げている。結局のところ、どういう政治家になりたいのか分からない。

太陽光や風力など再生可能エネルギーの推進。移民受け入れに積極的な姿勢。自らが統括したワクチン推進政策への批判に対する開き直りともとれる発言。中国の偵察用気球と見られる物体に対する認識を尋ねられた際の「気球に聞いてください」という回答――。挙げればきりがないが、これらの言動は一部の保守派から批判されている。その是非は措(お)くにしても、どういった信念に基づくものであるかは不明だ。政治家として何を為(な)したいかが見えてこない。

こうした時に、振り返るべきは彼の父であり祖父ではないか。河野一郎はなかなかに魅力的な人物であっただろう。否定するつもりはない。ただ、彼が日本にとって何を為したのかは冷静に分析しなければならない。父である洋平は国策を誤っていないか。一郎、洋平の事跡を見てきた私が判断するのは、やはり太郎も駄目であるということだ。
人気はあるが、実力はない。こうした政治家が総理大臣になれば国が亡びる。

［初出］「河野太郎の危険な政治血脈」（『月刊ウイル』二〇二三年五月号）

男・菅義偉が見せた誠意

●やらなければならないことを命懸けで実現した安倍晋三

人生で一番難しい論文を書いているのかもしれない。独りで現実に向き合わねばならぬと思った。だから今、独りホテルで原稿を書いている。だが、この原稿だけはなかなか書き進めることが出来ない。書いているうちに、涙が溢れてくるからだ。一人の政治家が亡くなって、ここまで涙を流したことはない。我ながら驚いている。

例えば、偉大なる安倍元総理のことを思い起こそうと動画を見る。

「昔から岸田さんは男前。若い頃は歌舞伎役者みたいでした。自民党本部の受付の女性がうっとりして見るんです。みんな不愉快になるくらいでした」。だから「一番男前なのは岸田文雄」。しかし「一番人柄がいいのは安倍晋三。こう言われていたんですよ」。ここで拍手が起きる。すかさず安倍元総理が語る。「ここで拍手が起こらなかったら、どうしようかと思っていたんですよ」。聴衆が、やんやと拍手喝采を送る。

確かに調べてみると、若い頃の岸田総理は男前である。本当に歌舞伎役者になれそうだ。そして、安倍元総理も人柄がよいだろう。それは誰もが認めることだ。だが、話の内容以前に、たった一カ月前にこんな冗談を仰っていた方が、テロリストの凶弾に斃れなければならなかった現実を、現実として認識できない。今でも白昼夢を見ているような感覚に囚われる。「松阪の一夜」という言葉がある。本居宣長が賀茂真淵と会った一晩の出来事だ。本居宣長が尊敬する賀茂真淵に会いに行った。たった一度の出会いである。一度の邂逅が人生を変えることもあるのだ。

安倍元総理が亡くなった際、思い出したのはこの逸話だった。私も安倍元総理に少人数の会食でお会いさせていただいたことが一度だけある。この時、最も印象的だったのは集団的自衛権の話だ。安倍元総理がトランプ元大統領とお会いした際、「日本はおかしい。北朝鮮が日本の自衛隊を攻撃したら、米軍は命をかけて自衛隊と共に戦う。しかし、米軍が北朝鮮に襲撃された際、日本の自衛隊は米軍を命がけで守らない。アンフェアだ」。その際、即座に安倍元総理は答えた。「それは私の前の内閣までだ。支持率を一〇パーセント落としたが、私は日本が集団的自衛権を行使できるようにした。トランプ元大統領は「あなたはサムライだ」と応えた。日米同盟が深化した瞬間だった。中国が台頭する中、最も国益にかなう判断であった。将来必ず評価される政治的英断だった。

歴史を翻って、いずれの内閣も実現出来なかったのが集団的自衛権の行使だった。誰かがやらなくては国が亡びる課題だった。タカ派の中曽根内閣ですら、集団的自衛権の問題に取り組まなかった。そうした問題に安倍元総理が手をつけた。マスメディアでは、これをもって極右であるという批判がなされた。しかし、これは全くの出鱈目な議論である。中曽根康弘元総理は「この日本国憲法のままで、集団的自衛権は行使可能である。そのためには、勇気を持った指導者が出現しなければならない」と指摘していた。誰かがやらなければならないことを命懸けで実現したのが安倍晋三元総理だった。

●下品で野蛮な「川柳」「小噺」

これに対して、常軌を逸したとしか思えない批判が相次いだ。政治学者の山口二郎氏（日本政治学会元会長、科研費数億円）は国会前の集団的自衛権の行使に反対するシールズと称する若者のデモで「安倍に言いたい。お前は人間じゃない。叩き斬ってやる」と獅子吼した。異常である。安倍元総理が人間でないならば、山口二郎氏はいったい何者であろうか。他人を人間でないと決めつける行為は、テロリストと変わらない。X（旧・ツイッター）で「アベシネ」なるポスト（旧・ツイート）をした野蛮人もいる。私は心の底から思う。彼らは本当に卑劣なテロに走った人間の行為の結果、安倍元総理が亡くなったことを喜んでいるのだろうか。これを喜んでいるのならば狂人である。喜んでいないとするならば己の言論を全く信じていないということになる。いずれにせよ、人間にとっての理性とは何か、品性とは何か、言語とは何かを思わずにはいられない出来事であった。

安倍元総理の死後にも、おかしな言動は続いた。『朝日新聞』では川柳（せんりゅう）を使って安倍批判を展開していた。本気でこのようなものが優れた川柳であると思う人がいるのだろうか。

「疑惑あった　人が国葬　そんな国」

「死してなお　税金使う　野辺送り」

「忖度は　どこまで続く　あの世まで」

「ああ怖い　こうして歴史は　作られる」

ああ怖いと思うのは、こちらのほうである。選挙は民主主義の原点だ。大衆の中に入ってゆき大衆の声を聴く。そして、その意見を国会に反映させていく。こうした民主主義の原点を実践していた元内閣総理大臣が凶弾に斃れた。イデオロギーの左右は関係がない。民主主義を守ることが重要だ。そして、こうした民主主義を否定する卑劣なテロを絶対に許さない覚悟が必要だ。しかし、この『朝日新聞』の川柳からは民主主義を守るという意思が全く感じられない。安倍批判のためならば民主主義の原則でも否定して構わないという狂気を感じる。川柳とは世相を皮肉るものであると言い訳するのであろうが、根本的に面白くもなんともない。訳が分からないので、どこが面白いのか解説していただきたい。ただただ、下品で野蛮なだけである。

他にも、れいわ新選組の山本太郎氏がおかしな芸人に小噺（こばなし）を披露させていた。

「麻生大臣と安倍元首相と森喜朗が乗った飛行機が墜落しました。助かったのは誰か？　日本国民！」。この芸人なる人物が悲劇的なのは、この芸が面白くもおかしくもない点にある。おかしいと強いて言うならば、この芸人なる人物の頭がおかしいとしか思われない点にある。こうした小噺をゲラゲラと笑う人の気が知れない。

●岸田総理が閣内に迎え入れるべきだった政治家

もう、このあたりでおかしな人たちの批判はやめたい。私はおかしな人を批判したいわけではない。ただただ、安倍元総理に追悼の意を表したい。

実は来月、安倍元総理と対談させていただく予定だった。対談に向けて、岸元総理、安倍元総理の著作を研究している最中であった。政治家との対談で重要なのは、その政治家が行っていたことを言語化する作業である。そして、政治家が行わなかった事柄について問いただすことである。

私は安倍元総理に伺いたかった。「安倍一強」「自民一強」、情勢としては最も自民党にとって、そして安倍元総理にとって望ましい情勢に見える。しかし、本当に日本の行く末を考えた際、これだけ左派が出鱈目で国民の支持を受けられない状況は悲劇的なのではないか。自民党の重鎮である安倍元総理にお願いするのはおかしな話だと重々承知しているが、やはりまっとうな「リベラル」をつくらなければ、全体的に考えて日本の国益にならないのではないか。ここを問いたかった。

思い返せば、岸元総理は二大政党制論者だった。右派政党の最も左な政治家に比べて、左派政党の最右派が客観的に見て右である。そのような状況が望ましいと語っていた。卓見である。現在の日本を見るに、「リベラル」はただただ左に左に血道を上げていくばかりであり、全く保守派への理解が見られない。常識を失っているとしか思えない。一方、保守派は穏健なリベラル政策を実行している。そうしたバランス感覚を持っていたのが安倍元総理だった。極端な左、極端な右を排し、常識的な保守主義を貫く。それが安倍元総理だった。

だが、安倍元総理は既にこの世にいない。これが現実である。自民党の良質な保守を代表する政治家がいなくなった。今の自民党を眺めてみて明確な保守派だと思える政治家は少ない。岸田総理がリベラルな部分を担当し、安倍元総理が保守派を抑える。そうした形で岸田内閣の政権運営は続いていた。だが、安倍元総理は既にいないのだ。もう岸田総理は決断しなければならない。自民党が左傾化すれば極端な右派が蔓延る。陰謀論を垂れ流し、現実的な憲法改正を妨げる。こうした極端な右派は国を亡ぼす。であるからこそ、自民党は絶対に保守政党であらねばならない。岸田総理が進むべき道は「私は左ではない。右である」という覚悟を国民に示すことである。

さらに付け加えるならば、安倍元総理という不世出の政治家を失った現在、自民党は挙党体制を築かなければならない。その象徴となるのが、来る党人事、内閣改造であろう。茂木敏充幹事長は、一〇増一〇減を自らの手で行いたくないと考えている由である。確かに、恨まれる仕事になる。幹事長を続けたくない気持ちも分かる。財務相を目指しているというのがもっぱらの噂である。一方、林芳正外務大臣は続投。しかし、そうした話は枝葉末節に過ぎない。岸田政権が安定した保守政権として、安倍元総理の遺志を引き継ぎ憲法改正を願うならば、どうしても閣内に迎えなければならない政治家がいる。それは、菅義偉元総理である。

●「同じ空気を吸いたい」

私が菅元総理のことを理解できていなかったと思い知った動画がある。心の底から私も反省している。この動画は何回見ても泣いてしまう。安倍元総理が撃たれた当日、菅元総理は奈良県の安倍元総理のもとに向かった。この件について、テレビで菅元総理が話していたが、率直に言って話は下手である。しかし、流暢に語る政治家よりも深い愛情が込められていた。百術は一誠に如かず。誠意が滲み出る話は涙なくして聞けない。

沖縄に行く予定だったが、「自民党として選挙運動は中止する」という情報に接し、菅元総理は奈良に向かった。その理由を問われて、菅元総理は言葉を選びながら「同じ空気を吸いたい」と語っていた。驚いた。あまりに文学的である。今まで私の人生の中で緊急事態、事と次第によっては生命を失うというときに、「同じ空気を吸いたい」という言葉を発することが出来る人物を見たことがない。私が死に際したとき、「同じ空気を吸いたい」と言ってくれる人は果たしているのだろうか。考えてみても思い当たらない。せめて、妻だけはそう言ってくれると信じたい。だが、人徳のない私のことである。無理だろう。

ここまで言わしめる安倍元総理、訥々（とつとつ）と安倍元総理への深い愛情を語った菅元総理、ともに立派であるとしか表現できない。男である。さらに続けて「寂しがり屋でもありましたので、そばに居てやりたい」。この言葉を聞いても涙が溢れてくる。安倍内閣を支え抜いた官房長官であった菅義偉元総理を副総理として内閣に迎え入れる。おそらく日本が日本であり続けるためには、この方法しかないのではないか。安倍元総理を失い、四分五裂しかかっている清和会（元安倍派）に睨（にら）みを利（き）かせることが出来るのは、森喜朗元総理、そして菅義偉元総理以外には存在しない。森元総理が現職の国会議員でない以上、菅義偉元総理を副総理に迎え入れることのみが岸田政権を安定させる方策であろう。

なぜか話が政局に向かってしまった。あまりに偉大な政治家が凶弾に斃れたことに関し、言葉が浮かんでこないというのが実情だ。申し訳ない。書こうとする前に涙がこぼれてしまう。

だが、安倍元総理について書かねばならない。私には個人的な望みがあった。対談で真剣な議論を戦わせた後に、どうしてもやっておきたいことがあった。僭越（せんえつ）ながらユーチューブの「岩田温チャンネル」に数分でも出演していただきたかった。私が望んでいた企画はたった一つ。日本で最も硬い煎餅を総理に食していただき、私が食したご感想を求める。絶対に答えも、ただ一つ。「ジューシーです」。多くの日本国民が愛していたのは、政策を語る安倍晋三だけではなかった。真面目な顔をしながら冗談を語る総理の笑顔が大好きだった。

「ジューシーです」の言葉が二度と伺えない。そう思うだけで、涙が溢れてたまらない。

[初出]「『同じ空気を吸いたい』菅前総理が見せた誠意」(『月刊ウイル』二〇二二年九月号)

「アベはファシスト」なる愚かな論考

●健康不安で総理が辞職することを祝う感性

慶事に際して、親せきや友人同士が集い乾杯する。人生に潤(うるお)いを与える幸福な一瞬だ。久々に顔を合わせる人もいるだろうし、もう人生で二度と会えない人もいるかもしれない。結婚、就職、栄転、様々な祝い事が考えられるが、あっと驚くような「お祝い」もあるのだと先日、軽い衝撃を受けた。朝日新聞社の言論サイト『論座』に掲載されていた論考の一節では次の通り、実に不思議な宴会について紹介していた。

〈「安倍政治を許さない!」という標語の下に悪口を言ってきた人々は(安倍総理の突然の退陣を)喜んだ。逆転満塁ホームラン並みに喜んだ。私も退陣発表の翌日に野外レストランで友人とコロナ対策の距離を厳重に取りながら、デモの日々を振り返ってささやかにグラスをあげたものだ。〉(三島憲一「菅義偉政権の誕生から、日本型のファシズムを考える」)。括

弧内は岩田）

コロナ対策のために距離を厳重に取るというならば、そもそもオンラインで祝杯をあげればよいであろうという素朴な疑問はさておき、他人が病気で自らの仕事を続けられなくなったことを祝するとはどういう感覚なのだろうか。従来、批判してきた為政者に対して心にもない称賛など不要だが、静かに見送るくらいの度量があってもよいのではないか。他者の病気を祝い、「辞めた、辞めた」とはしゃいでいる姿は滑稽というより不気味である。「逆転満塁ホームラン並みに喜んだ」と言うが、そこまで他人の病を喜べるものなのだろうか。つねづね「安倍政治を許さない！」と叫んでいる人々の感性は、少なくとも私の感性とはまるで異なることがよく分かった。

ただ、三島氏が正直な人だということは分かる。なぜなら、先の引用の中で、自分たちが安倍総理、安倍政権に対して語ってきたことが論理的な批判ではなく、「悪口」だと率直に認めているからだ。確かに、振り返ってみると安倍総理に対する正当な批判は少なく、言いがかりや「悪口」の類が多かった。「I　am　not　ABE」のスローガンが典型的だが、何も言っていないに等しい空疎な悪口だった。心配していたのは、全国の安倍さんや阿部さん、安部さんといった方々がいじめられていないかどうかだったが、幸いなことにいじめに遭(あ)ったという話は聞いていない。

安倍総理への「批判」ではなく、「悪口」を言ってきたという三島氏の叙述は正確だし、率直である。

しかし、正直は美徳というものの、健康不安で総理が辞職することを祝う感性が私には薄気味悪く感じられてならない。ふと頭をよぎったのは、こんな想像だった。これまでに三島氏は、自分の嫌いな人が怪我をしたり、亡くなったりするたびに祝杯をあげてきたのだろうか。いい年をした人間が「ふふふ、ようやく憎きあいつが怪我をしたのさ。それでは御唱和ください。乾杯！」などと祝い合う、というよりも呪い合う場面を想像しただけでゾッとするのは私だけではあるまい。こうした呪いの宴(うたげ)を催したことを公然と言ってのける神経が、そもそも理解できない。

●何をファシズムと呼び、ピエロと名づけるのか

だが、安倍総理の退陣を喜んでいたはずの宴は、ただちに絶望、そして新たな呪詛(じゅそ)へと変化していく。その様子を三島氏は次のように描き出す。

〈2杯目のグラスをあげるにあたって、そこにいた4人全員の眼に暗い影がさしたのがマスクをしていてもわかった。「わ〜っ、気持ち悪い」「もっと悪くなる」と。…（略）…菅義偉官房長官が後任に予想されたからだ。〉

この不気味極まりない呪いの宴では、参加者が乾杯するときにもマスクを着用しているらしい。繰り返しになるが、そこまで徹底してコロナ対策をしたいなら、オンラインで飲み会

をすればいいのにと思うが、彼らは対面で呪いの宴に参加したいものらしい。こだわりの強い人々なのだろう。

彼らは菅官房長官を「わ〜っ、気持ち悪い」と評していたというが、おそらく、周りの人々からすれば、「気持ち悪い」のは、他人の不幸を祝いながら酒を飲んでいた当人たちであったはずだ。三島氏は「無能の人は、自らの無能には気づいていないのが普通」と安倍総理を揶揄しているが、「不気味な人は、自らの不気味さには気づいていないのが普通」なのだということを実践してみせてくれたのが、三島氏たちに他ならないだろう。

ここから三島氏は菅政権批判を展開するのだが、安倍政権に比べて菅政権が「もっと悪くなる」という根拠として、「アベはファシズムのピエロだが、スガは根っからの〝ファシスト〟だ」と述べている。何を指してファシズムだというのか、ピエロだというのかが明らかでない場合、単純に「俺は安倍よりも菅が嫌いだ」ということをもっともらしく語っているに過ぎないことは明らかだ。それでは三島氏は何をファシズムと呼び、ピエロと名づけるのか。

ファシズムといったときに直ちに思いつくのは、イタリアのムッソリーニだろう。彼の率いたファシスタ党はファシズムを掲げる政党であり、これを模倣してつくったのがヒトラーの率いるナチスであった。イタリア、ドイツ両国に共通するのは強烈なカリスマ的指導者が独裁体制を敷いたことだ。国民は指導者の言葉に酔い痴（し）れ、熱狂した。だが、戦時中の日本を見回してみても独裁者など存在しなかったし、一党独裁による陶酔（とうすい）もなかった。三島氏も

〈日本の場合、ファシズムといっても、個人独裁ではないようだ〉と、この点を認めている。
では、いったいどこに日本のファシズムの源流があったと言い、現在のどこにそのような流れが生き続けているというのだろうか。

三島氏は戦前の日本に関して、「日常生活での徹底した戦時体制と統制強化という点ではまがいようもなくファシズムだ」と説く。しかし、自身がその文章で説明しているように、これはあくまで「戦時体制」なのである。総力戦においては、どこの国においても多かれ少なかれ国民の自由が抑圧され、戦時体制がとられるのは当然のことだ。民主主義を標榜していたアメリカも日系人を強制収容したことで知られる。日系人の自由が踏みにじられていたのだ。大いに疑問は残るが、仮に一万歩譲歩して、戦前の日本における自由の抑圧がファシズムだったとしてみよう。しかし、そのような残滓（ざんし）が現代の日本社会のどこに残っているというのだろうか？

そもそも三島氏は「ファシズムとは何か」を定義しないままに、あれもファシズムだ、これもファシズムだと断定し、雰囲気だけで議論を進めていく。そして、日本のファシズムの特徴を次のように描き出す。

〈「先人」の成果を継承しながら、独創性や自発性の乏しい、そして中心のはっきりしない、無理のない「調整」による完全取り込み型が日本のファシズムの特徴だ。〉

三島氏は、これこそが日本のファシズムの特徴だと宣（のたま）うが、肝心のファシズムとは何かについて論じていないのだから、何の説明をしているのか訳が分からない。チベット仏教の特徴について延々と論じられても、仏教とは何かが説明されていなければ、何の役にも立ちはしないだろう。結局のところ、ここで日本のファシズムの特徴とされるものは、三島氏が解釈する菅総理自身の特徴なのだ。ヴィジョン、個性、独創性がなく、ぼんやりとした調整が得意な人物。菅氏を眺めて、思いつく限りの特徴を並べ、「これが日本のファシズムの特徴だ」とすれば、まさしく、菅氏は日本のファシズムの申し子ということになるだろう。実に簡単な話なのだ。自分の嫌いな人間の特徴と思われるものを列挙し、「これが極悪人の特徴だ」とすれば、自分の嫌いな人物はすべて「極悪人」ということになる。子供騙しに等しい論法だ。一見すると論理的に見えなくもないが、その論理はこじつけられたものでしかないし、何も説得的でない。

●過酷な全体主義体制下で亡くなった人々に対する冒瀆

三島氏は、次のようにも述べている。

〈権力とカネのドッキングこそ、民主主義の中に住みつき、ある程度の民主主義を必要とするファシズムの正体なのだ。〉

〈ガチガチのナショナリストと思しき菅義偉を取り巻く凡庸と巧妙な調整型丸め込みの雰囲気は、東条英機的な日本型ファシズムの特徴を兼ね備えているとともに、国際的な金持ちファ

シズムとも共通している。〉

随分と陳腐極まりないファシズム論なのだが、三島氏の言わんとすることを端的に理解するためには「ファシズム」という言葉を使わずに、「ファシズム」を「俺の嫌いなもの」と置き換えてみるとよい。真面目に「ファシズム」とは何かと考えながら読むと、三島氏の文章の意味が逆に分からなくなってくるのだ。

〈権力とカネのドッキングこそ、民主主義の中に住みつき、ある程度の民主主義を必要とする俺の嫌いなものの正体なのだ。〉

〈ガチガチのナショナリストと思しき菅義偉を取り巻く凡庸と巧妙な調整型丸め込みの雰囲気は、東条英機的な日本型俺の嫌いなものの特徴を兼ね備えているとともに、国際的な金持ちの俺が嫌いなものとも共通している。〉

このように言葉を置換することによって、三島氏の意図は明確になる。彼は「権力とカネのドッキング」を蛇蝎(だかつ)のごとく嫌い、菅総理を馬鹿にしており、国際的な金持ち連中に我慢がならないのだ。もっともそうなことを語っているようでいながら、その本質においては、菅政権に対して「嫌だ！　嫌だ！　大っ嫌い！」と叫んでいるだけなのだ。

結局のところ、三島氏にとって、ファシズムとは一つの負の記号、スティグマでしかなく、現象として真剣に考察する対象ではないのだろう。真剣に歴史を振り返ってみれば、罪なき人々を大量虐殺に追い込んだヒトラーやムッソリーニと安倍、菅両総理を同列に論ずること自体が不謹慎なことだし、そもそも不可能なたとえなのである。誰彼構わず嫌いな人間を「ファシスト」扱いすることは、確かに「表現の自由」の範疇に属する事柄だろう。その意味で、そうした自由を行使しても法的に問題はない。だが、あまりに不正確な言葉で国民を煽動し、恐怖に陥れようとすることは、一人の人間として如何なものなのかと思わずにはいられない。過酷な全体主義体制下で亡くなっていった人々を冒瀆するかのような表現には怒りを覚えるし、あまりの不正確さに呆れてしまう。

●自らの偏見があくまで正しいと言い張る人々

だが、こうしたファシズム論を展開しているのは三島氏ばかりではない。

「この国はすでにファシズムに侵されている」と十年以上前から語り続けていると『毎日新聞』で紹介されているのが、作家の辺見庸氏である。なお、この記事自体が二〇一八年五月十五日の『毎日新聞』（夕刊）の記事なので、正確には十二年以上、我が国はファシズムに侵されているというのが辺見庸氏の主張のようである。

菅政権が誕生した後の記事で、辺見氏は次のように指摘する。

〈メディアが同調圧力をあおる面もあるけど、自粛が専門みたいな国民でファシズムが常態化している感じなんだ。それに逆らうような者は白眼視されるか、告発される傾向にある。〉

（二〇二〇年十月二十八日付『毎日新聞』夕刊）

コロナ禍をめぐる自粛に関しては、様々な議論があった。他者への「自粛」を強要するような人々や、コロナ禍で旅行に出かける人を中傷するような事件があったのも事実だ。これらの事件の際には、確かに、私自身もメディアによる「同調圧力」を感じたし、異常なまでの自粛要請には違和感を覚えた。したがって、「ファシズム」という言葉には抵抗があるが、コロナ禍でそうした日本国民の一面が露出したというのは事実だと私も考える。

だが、ここから先は全くついていけない。辺見氏は不思議な「顔貌」論を語り始めるのだ。

〈菅さんっていうのはやっぱり公安顔、特高顔なんだよね。昔の映画に出てくる特高はああいう顔ですよ。〉

〈で、執念深い。今まで（の首相が）踏み越えなかったところを踏み越える気がする。総合的な品格に裏付けされたインテリジェンスを持っていない人間の怖さだね。〉

辺見氏によれば、「公安顔」「特高顔」というものが存在するらしい。出来れば、辺見氏の前に公安の人が一名、別の職種の人が九名掲載された写真を見せて、どの人物が公安なのかを示してもらいたいものだ。仮に一〇〇枚の写真をチェックしてもらい、一〇〇回とも公安の人物を見抜くことが出来たなら、辺見氏には「公安顔」を見分ける特殊な能力があるということになるだろう。そうであるならば、特殊な能力を有しており、その発言には信ぴょう性がある。だが、これが全然当たりもしないということになれば、世の中に公安顔などというものは存在しないし、そういう批判そのものが単なる偏見に過ぎないということになるだろう。私は「公安顔」などというものがあるとは信じられないし、顔で職業が見抜けるとは考えない。

さらに『毎日新聞』の記者が「安倍総理との差」を尋ねると、辺見氏は次のように答えたという。

〈安倍さんの方が育ちがいい分、楽だった。でも菅さんはもっとリアルで違うよ。今まで為政者を見てきてね、こいつは怖えなと思ったのは彼が初めてだね。〉

〈本当に怖い。〉

〈僕は戦争を引きずっている時代を知っているわけ。だから、ああいう特高警察的な顔をしたやつがいましたよ。たたき上げ、いわばノンキャリでさ。（情状の通じない）手に負えないという怖さがあるんだ。…（略）…だから、メディアがケーキ好きの可愛いおじさん、令和おじさんと書いたとしても、とてもそうは思えない。〉

他人の顔貌についてだけで、あれこれを論じるだけでも相当に差別的な話だと思うが、これらの発言からは、菅総理は育ちが悪いので恐ろしいという出自に関する差別意識がにじみ出ている。祖父が総理大臣、父も有力政治家であった安倍家が「育ちがいい」という議論は、特に問題がない。だが、秋田に生まれたから、または父親が政治家でなかったから、「育ちが悪い」と決めつけることは失礼だし、出自による差別そのものだ。その人物自身の言動で評価するのではなく、顔と出自で当人を評価するのは差別そのものだ。辺見氏は無自覚のうちに極めて差別的な発言を行っていることに気づくべきだ。たたき上げ、ノンキャリだから、情状が通じずに、手に負えないということも、因果関係としては成立しない。キャリアだからこそ弱者の感情に無関心で手に負えない人物も存在するだろう。「公安顔」にせよ、出自論にせよ、ノンキャリ論にせよ、すべてがあまりに杜撰な尺度なのだ。「顔は大事だよ。すべてが出るよ」と主張する本人の中では立派な尺度なのかもしれないが、それは自らの偏見に拘泥しているだけで、他者に対する説得力を有していない。そしてさらに言えば、そのような偏見と差別意識によって他者を評価することは、社会を極めて殺伐としたものにしかねない。

自らの嫌いな存在を誰でも「ファシズム」「ファシスト」と呼びたがる人々にも困ったものだが、自らの偏見があくまで正しいと言い張る人々にも困ったものだ。

逆に言えば、それくらいしか批判すべき点がないのだろうか？　いくら何でも、もう少しましな批判を期待したいが、彼らにそれを求めるのは残酷なことなのかもしれない。

［初出］「大阪大学・三島憲一名誉教授の偉っそう！『アベはファシズムのピエロ』」
（『月刊ウイル』二〇二一年一月号）

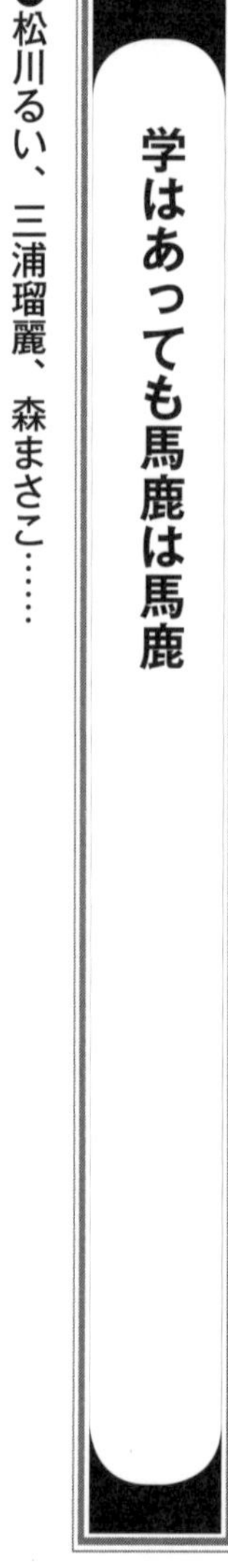

●松川るい、三浦瑠麗、森まさこ……

自民党の劣化が止まらない。

エッフェル塔の前で馬鹿な写真を撮った松川るい。どう見ても気持ちが悪い。しかも、自身で投稿写真を削除した。削除するのなら、最初から掲載しなければいい。研修の際に私的な写真を撮ることを否定するものではない。だが、誰がどう見ても馬鹿にしか見えない写真を、ＳＮＳに投稿する必要があったのか。

自身の子供を大使館に預けさせる。庶民にも発想できない所業である。私も大阪府民の一人だ。こやつに一票を投じた。日本が少しでも良くなるという風に思ってこやつに投票した国民は、こうした写真を見たかったのではない。庶民を愚弄するのか。

松川の炎上を受け、いかれた擁護論を展開した三浦瑠麗なる人物もいた。この発言、理解可能なのか。この人は昔から日本語がおかしいので、引用しても意味が分からない。簡単に要約しよう。

仕事で行っても、エッフェル塔で写真ぐらい撮ってもいいじゃない。それを批判すること自体が変なのよ。国会議員は庶民の代表者を選ぶのか、エリートを選ぶのか。どっちも私は正しいと思っている――。

私には三浦瑠麗がエリートだと思えないし、庶民を愚弄する理屈も分からない。端的に言って、愚かすぎるとしか思わない。他人をあれこれ論ずる前に、自分の夫の事件について釈明するべきだろう。

ブライダル業界に補助金を出させようと企んでいる森まさこ。この女も異常である。この女が異常である点を、はっきりと書いておこう。

ある勉強会で、私が講演をした。その際、こやつも勉強会に参加し、何かの発言をしていた。決して優秀ではない発言だったことを覚えている。ああ、嫌だなと感じた。その数カ月後、私が勤務するブラック大学にこやつが訪れた。私は森が講演している最中、常にエレベーターを待機させていた。こやつが帰る際に待たせないためだった。ブラック大学側からの配慮だったのだろう。だが、私が許せないと思ったのは、この女の態度だった。エレベーターで待機している私を見たとき、数カ月前に会ったのにもかかわらず、忘れていた。まあ、それはいい。しかし、エレベーターのボタンを押している私を見た際に、乞食を見るような蔑んだ目つきで眺めてきたことを私は忘れない。

結局、そういう人間なのだ。卑しい。少子化対策を謳いながら、自らの私腹を肥やそうとする。この卑しい態度こそが、森まさこの本性だ。

●自民党よ、国民の怒りの声を聞け

再生エネルギーという天下の大愚策で国民を欺き、私利私欲に走った政治家。それが秋本真利だ。

再エネ論者が許しがたいのは、国民に事実上の増税を強いることである。クリーンだとの

印象操作で、再生エネルギーをあたかも真っ当な電力の源であるかのように装っていた。だが、国民の電気料金は上がる。秋本が思想信条に基づいて再生エネルギーを推進していたとすれば、それはただの愚かな政治家である。国民に事実上の増税を強いるような政策を推進しているのだから。

だが、こやつを許すことができないのは、再生エネルギーの推進が思想信条ですらなかったという点だ。馬と鹿の区別がつかない馬鹿なのかもしれないが、馬で稼ごうとする魂胆(こんたん)は言語道断だろう。暴れん坊将軍ではないが、「成敗！」と叫びたい。

鬼平犯科帳ではないが、「いつの世にも悪は絶えない」。いや、もう少し正確に言ったほうがいいのかもしれない。「いつの世にも赤は絶えない」。保守を謳う自民党でありながら、赤が絶えない。これが我が国の現実である。

安倍晋三元総理が凶弾に斃れた後、自民党の劣化が止まらない。もはや保守政党と呼べるのか疑問に思われるほど、劣化した。特権階級意識で庶民を愚弄する売国政党。それが自民党なのではないか。必死に汗を流して働いている日本国民を愚弄していないか。お前たちの貴族ごっこに付き合うために税金を払っているのではない。自民党よ、国民の怒りの声を聞け。

多くの日本国民は、左翼ではない。『朝日新聞』をはじめとするマスメディアがどれほど赤い思想を喧伝(けんでん)しようが、靡(なび)かない。日本国民は、決して愚かではないからだ。その結果、自民党が政権与党たりえてきた。だが、あまりにも国民の意識から乖離した所業を許すことはできない。その罪、万死に値する。

自民党の政治家に問いたい。

保守主義とは何か。

祖国とは何か。

真剣に考えたことがあるのか。

●私にとって靖國神社とは

八月十五日、今年も靖國神社に参拝した。何度目の参拝になるのか、もはや分からない。炎天下、靖國神社には多くの国民が参拝に訪れる。亡くなった遺族のため、あるいは祖国に殉じた英霊に哀悼の誠を捧げるために人々が集う。私の親族も靖國神社に祀(まつ)られている。父方の祖母の兄、母方の祖母の兄、母方の祖母の弟が戦死し、靖國神社に祀られている。

父方の祖母は八月になると、決まって戦死した兄の話を繰り返した。貧しかった祖母の実家では、大学に進学することなど夢のまた夢だった。そうした境遇の中、兄は早朝に起き、魚を仕入れ、近所の皆様に売り歩いた。自分で稼いだ学費で進学しようとしていた。しかし、時が悪かった。大東亜戦争が勃発して徴兵され、二度と戻ってこなかった。誰よりも優秀だったと、祖母はいつも泣いていた。

母方の祖母の弟も、フィリピンで戦死した。実家にあった定規を使っていた際、裏に「義夫」の名前があった。義夫さんとは誰かと尋ねたとき、祖母が戦死した弟だと教えてくれた。この定規を使うたびに、緊張したことを今でも思い出す。

八月十五日に靖國神社に参拝していた石原慎太郎が紹介した逸話を、忘れることができない。

「かくまでも　醜き国に　なりたれば　捧げし人の　ただに惜しまる」

ある遺族の遺した歌である。遺族の気持ちが、痛いほどよく分かる。靖國神社に参拝しても、なぜか拭い去れない違和感を自分自身が覚えていた。「このような日本でいいのか」「日本は腐っていないか」「もう日本は終わりだろう」。英霊に対して感謝の誠を捧げながらも、現在の祖国を顧みて忸怩たる思いを抱かずにはいられなかった。

私はなぜ八月十五日に靖國神社に参拝しているのだろう。遺族だから靖國神社に参拝する。この理屈は分かりやすいし、自分でもそういう思いはある。だが、それだけではない。私にとって靖國神社とは、国家にとって歴史はいかにあるべきなのかを考える原点であるからだ。

●国家はフィクションなのか

国家とは何か。多くの人々は驚愕するかもしれないが、国家とは歴史である。政治学者の坂本多加雄がかつて力説したように、国家の歴史とは「来歴」でなければならない。

戦後日本の政治学者の間では、国家とは何かとの議論が真剣になされなかった。否定的に国家を論ずる人間が「進歩的」とされ、国家は悪しきものとして軽蔑され続けてきた。例えば、ベネディクト・アンダーソン著『想像の共同体』を参照しながら、次のように論じられた。

「近代国民国家など想像の産物にすぎない」

「国家というフィクションを信じるのは愚かである」

そうした議論がさも高尚な議論であるかのように評せられた。そうした政治学者の常識に異を唱えたのが、坂本多加雄である。彼は勇気のある知識人だった。知性と情熱を併せ持つ知識人だった。

国家は厳然と存在しており、人間は国家の存在に影響を受けている。パスポートなしには外国を訪れることすらできない。国家はなぜ存在するのか。行政サービスなど、今を生きる国民が便利だからだと言うこともできよう。確かに、そういう一面はある。ホッブズをはじめとする社会契約論者が説いたのは、国家の実用性だった。国家がなければ法もない。国家なき状況を自然状態とホッブズは呼んだが、それは悲惨で惨めな人々がお互いに盗み合い、殺し合う世界に他ならなかった。こうした無政府状態から脱却したいと願い、合理的な法治を求めて国家をつくり上げる。それが彼らの理想だった。

だが所詮、理屈は理屈である。現実に対応していない。社会契約論の最大の問題点は、なぜ国のために命を捧げてまで戦うのかとの視点がないことだ。法治を求め、国をつくる。殺されたくないから国をつくるのだ。こうした社会契約論の論理に忠実であろうとすれば、国のために戦うことは愚かしい行為となる。なぜなら、国家とは今生きている私たちの命を守るべき機関であるのだから、国のために命を捧げるという行為は全く非論理的で愚かな行為ということになる。社会契約論者に欠けているのは歴史、来歴という視点だ。

●戦後日本のアカデミズムの悲喜劇

国家とは何かについて、エドマンド・バークは次のように説いていた。

「国家は現に生存している者の間の組合たるにとどまらず、現存する者、既に逝った者、はたまた将来生を受くべき者の間の組合となります」

国家のあり方は歴史と密接に関わる。我が国を愛し、我が国のために亡くなっていった人々、彼らの存在がなければ現在の国家などありえない。我々もまた将来生まれてくる国民のために生命をかけてでも国家を守らなければならない。こうした意識こそが重要なのだ。歴史を語れない社会契約説が端的に言って誤謬であるのは明らかだろう。

国民が国家に所属していると感じるのは、国家の歴史に連なっているという自覚を持つ瞬間だ。国家を否定する政治学者が軽薄であり、現実を無視した存在であることを正々堂々と論じたのが坂本多加雄だった。自らが国家によって守られながら国家を罵倒する。そうした悲喜劇を繰り返してきたのが戦後日本のアカデミズムだった。「国を愛する」という人々を漫罵し、国のために戦う人々を軽蔑したのが彼らだった。

こうした国家のあり方を否定した究極の姿が憲法九条である。自国を守るという最低限の論理、倫理を踏みにじっているのが、この憲法だろう。「憲法九条があるから日本は平和だ」。これは非論理の極みである。日本が外国を侵略しないという根拠にはなるだろう。それはいい。だが、外国が日本を侵略してこないという根拠には絶対になりえない。無知蒙昧非論理、それが護憲論者の特徴である。憲法九条が非論理の極みである以上に許し難いのは、祖国を守るという人間の最低限の礼節を否定している点である。度し難い非論理のみならず、許し難い不道徳、それが憲法九条なのである。

坂本多加雄の話に戻ろう。

坂本が国家の存在を意識したのは、個人的な経験にも拠っている。在米中、偶然ながら、ある婦人と話をした。彼女は自らの父がパール・ハーバー奇襲によって戦死したと語った。「交通事故で命を落としました」と語られた際、「お気の毒さまでした」と言って済ますことはできるだろう。だが、アメリカの婦人が「パール・ハーバーで父が死んだ」と語った際、坂本は戸惑った。単純に「お気の毒さまでした」とは言えない自分がいた。なぜか。それは坂本が日本国民であったからである。パール・ハーバーの奇襲には日本国民としての理屈があった。それが日本国民としての論理である。

●「パスポートを捨てさえすればいい」

当然のことながら、人は個人として生きる。だが、個人としてのみ生きることはできない。否応なしに、日本国民の一人として我々は生きている。その際に、決定的に重要なのが来歴だ。我々の国家とはいかなる国家であるのか。それを堂々と物語ることが重要だ。国民としての私という観点を欠き、コスモポリタンのように一人の人間として生きていると強がる人もいよう。本人は先進的だと気取っているのかもしれない。しかし、それは称賛されるものではなく、国家を忘れた愚か者の遠吠えにしかすぎない。それが現実だ。

具体的な例を挙げてみよう。友人で若き日に左翼思想家を気取っていた男がいる。彼は国家のあり方に否定的だった。そんな男がフランスに留学する。フランスで左派が必死に擁護しているのが、サンパピエ（不法滞在者）だ。左翼であった彼はサンパピエに憧れた。サンパピエと会話したとき、彼は人生の決断を迫られた。

「どうしたら仲間になれるのか」

「簡単だよ。パスポートを捨てさえすればいい」

まじめな彼は逡巡（しゅんじゅん）した結果、パスポートを捨てることができなかった。コスモポリタンを気取るのは簡単だが、国家を否定して生きることは困難だ。そうした現実に気づかされた瞬間だった。

国家なしに人間が生きていくことは極めて困難だ。国家を国家たらしめているものは何か。

それがまさに坂本が説いた「来歴」である。実証史学によって冷たく客観的に語られる事柄を歴史と呼ぶならば、それは「来歴」とは異なる。実証史学者によれば、歴史とは学ぶべきものではないという。マキャベリの『君主論』や『ディスコルシ』を否定するような愚かな主張である。歴史に学ぶものがないならば、そうした学者の著作など意味がない。我々が本を読むのは何かを学びたいからだ。

●実証史学の論理で歴史教育は行えない

何かを考える際、歴史を振り返る。そうしたことは実証史学者の嘲笑(ちょうしょう)の対象になる。彼らにとって歴史とは科学なのだ。厳密な資料分析に基づき、比較考察を深める。誰であっても同じ結論に達するべきだと考える。なぜなら、歴史とは科学なのだから。

だが、こうした実証史学は政治の論理を知らない。国民を国民たらしめるのが歴史教育なのだ。無味乾燥な実証主義的な歴史は国民教育にとって不要である。

少々、言葉が過ぎた。実証史学は重要だが、実証史学の論理で歴史教育は行えない。我が国のために命を懸けた人々、名もなき幾多の先人を心の底から敬うことができる。そうした歴史教育でなければならない。

特攻隊礼賛論などと揶揄する人々がいる。たしかに、特攻作戦は実に問題の多い作戦であった。敗戦後、責任を取らずにのうのうと生き延びた輩(やから)もいる。彼らを糾弾したくなる気持ちは私もよく分かる。だが、問題の本質を見誤ってはならない。誰かが行かなければならないときに自らの命を捧げて祖国を守ろうとした青年がいた。こうした人々の素朴で麗しい愛国心を揶揄することがあってはならない。

学生時代、実際に人間魚雷回天で特攻しようとした方に話を伺った。極めて矛盾する話だが、そうであるがゆえに、心に残った。不躾ながら私は質問した。

「特攻隊について、どう思われますか」

「二度と特攻作戦が行われるような状態になってほしくない。だが、もしそうなったときには、特攻してくれる青年がいる国であってほしい」

来歴を物語る際、もちろん事実は重要だ。だが、その語り方は我が国を我が国たらしめるために生きて死んでいった者たちへの共感と共鳴を礎としなければならない。

●人間が国民になるとき

日本の歴史教育は根本的に誤っている。日教組や共産党による歴史教育は、害悪以外の何物でもない。日本に生まれたことを誇れなくなるように教育をする。誰がどう考えてみても異常な光景である。自虐史観がおかしいのは、冷静に考えてみれば誰でも分かる。自分の子供に対して、お父さんは悪人だった。それだけではない。お母さんも悪人だった。卑劣でいかれた人たちだった。そんなものではない。おじいさんも、おばあさんも極悪人だった。世間様に顔向けできない。だから、お前は常に他人様にお会いした際に謝罪しろ。こんな教育を受けていて、真っ当な子供が育つとは到底思わない。

先人に対する敬意や愛着を持つことを否定しているからだ。人は祖国なくして生きられない。祖国には、歴史とは違う来歴がある。冷たく過去を裁くのではなく、温かく我々の国家の歴史を物語る。それが来歴だ。実証史学者には理解できない政治の論理である。

彼らが愚かなのは、歴史はただの歴史だと思っているからだ。国民国家において歴史の重要性は国民をつくるという点にある。だからこそ、政治学者が歴史を語るのだ。愚かな実証史学者よ、黙っていろ。お前たちが出てくる場面ではないのだ。

誤解してほしくない。事実を捻じ曲げることがあってはならない。ただし、歴史を物語る際、すなわち、来歴を語る際には、愛情と畏敬の念が存在する。だからこそ、歴史教育は歴史研究以上に重要なのだ。同じ歴史を見たときに、どのように物語るか。それは、人それぞれだろう。日本の来歴を語る際には、日本を心の底から愛している人物の物語が必要だ。祖国を罵倒する左翼など論外である。

人間は一人の人間として生まれるが、いずれかの機会に国民となる。その際に重要なのが歴史教育だ。我々が個人として生きているのではなく、この祖国に生まれたと、心の底から実感を得られたとき、個人は国民になる。危急存亡の際、国民は国家のために戦う。戦ってきた人々が存在したおかげで、現在の我々は生きている。悲しくも尊い英霊たちを、いかに物語るか。そこには、我々の国を護る決意が現れてくる。坂本は、大東亜戦争で悲しく散っていった英霊について、次のように語っている。

〈歴史を単なる事実の連鎖として眺めるならば、そこは、一見して無意味な犠牲に満ちあふれている場である。にもかかわらず、「われわれの物語」としての来歴は、もの言わぬ無数の死者達に、しかるべき意義ある場所を与えねばならない。人の死は空しいものであってはならない。中国で、ニューギニアで、アッツで、マリアナ沖で、レイテで、ビルマで、硫黄島で、沖縄で、広島で、東京で、その他アジア太平洋全域で命を散らした無数の人々のことを、われわれは常に想起しなければならない。なぜなら、死者は、生者の記憶のなかにのみ生きるのだから。〉（『象徴天皇制度と日本の来歴』文藝春秋）

　国家の来歴を語る歴史教育が反日的であってはならぬ所以である。

国家の来歴を自らのものとするとき、人間は国民になる。国家を国家たらしめるもの、それは歴史である。民族の物語、国民の物語。こうして歴史は国民に共有される。共有された歴史こそが国家の礎となる。

　歴史教育についての誤解がある。歴史教育とは人間を国民にすることだ。国家の物語を共有する営みこそが歴史教育なのだ。世の歴史学者が間違っているのは、国民国家における歴史とは史実そのものではないという点を認識できないからだ。全くの嘘偽りを歴史として教えるのは間違いだ。しかし、国民が「日本国民でよかった」と思える、魂を震わせる物語が必要だ。

●日本が日本であるために、なさねばならないこと

自民党の国会議員に問いたい。立憲民主党など、もはや眼中にない。問題は自民党だ。祖国のために尊い命を捧げた、名もなき庶民の心の声を聞いているか。到底そうは思えない。国民を愚弄し、馬鹿にし尽くした挙句、血税で私腹を肥やすというのは、保守主義以前の問題である。人間として何なのだろう。靖國神社に祀られている英霊が彼ら彼女らを眺めたら、なんと思うだろうか。繰り返そう。

「かくまでも　醜き国に　なりたれば　捧げし人の　ただに惜しまる」

胸に響く言葉だ。誠に申し訳ない。

日本が日本であるために、何をなさなければならないのか。古い言葉だと言われるかもしれないが、私はあえて言いたい。憲法改正だ。自国を守る人たちを否定するような憲法を有り難がっている馬鹿は、端的に言って異常である。「憲法改正」——靖國神社で今年も誓ってきた。

［初出］「松川るい・三浦瑠麗　折れた高慢のハナ　学はあってもバカはバカ」（『月刊ウイル』二〇二三年十月号）

第二章　皇室を歪めんとするのは誰か

●江森敬治著『秋篠宮』読後に覚えた恐怖

「慄然とする」とは、このような感覚を表す言葉だろうか。衝撃を受けたというだけではない、心の底からの恐怖を覚えた。江森敬治氏の『秋篠宮』（小学館）を読んだからである

毎日新聞の記者だったというジャーナリストの江森敬治氏の著書を読んだのは全くの偶然からだった。講義の資料を印刷するためにコンビニを訪れたら、週刊新潮、週刊文春の二誌が大々的に皇室問題を取り上げていた。

「皇室史に残る一級の肉声資料」（週刊文春）
「前代未聞の告白　秋篠宮が打ち明けた『小室問題』」（週刊新潮）

何事が起きたのかと立ち読みもせずに即座に二誌を買った。週刊誌が取り上げる芸能人のニュース等々には全く興味がないが、一国民として皇室の問題は無視できないからだ。また小室氏親子が何かをしでかしたのかと不安に駆られての購入だった。だが、記事を読んでも全くの期待外れであった。要するに江森氏の著作を引用、紹介するだけで何か新しい発見が

あったわけではなかった。宣伝のための記事ではないかと思われる内容で、購入しただけ無駄であったとまで思うほど内容が酷かった。二誌で紹介されていた『秋篠宮』がとにかく気になった。著作を書くまでに、秋篠宮皇嗣殿下とお会いしたというのだから、これは読むべきだろう。本来であれば紙の本が好きな私も、一刻も早く読みたいとの思いから早々にＫｉｎｄｌｅで著作を購入し、夜を徹して読み込んだ。

なぜ、皇嗣殿下に三七回もお会い出来るのか不思議に思ったが、その答えは紀子妃殿下のお父様、川嶋辰彦氏にあった。江森氏の奥様が学習院大学の教授であった川嶋氏の副手をしていたことからのご縁とのことだ。江森氏ご夫妻の結婚式の仲人を川嶋教授が務められたというのだから、ご夫妻ともに川嶋氏と深い親交があったのだろう。それゆえに、皇嗣殿下とも三十年を越える付き合いがあるという。

この段階では、ご縁があったのだとしか思わなかった。

江森氏の『秋篠宮』を一読後、読まねばならなかったという義務感を果たしたことを確認すると同時に、知りたくなかったという虚しい喪失感が襲ってきた。そして、恐怖に慄然とした。本を読み「慄然」としたのは初めての経験かもしれない。

いったい、この江森敬治氏とは何者なのだろうか。

江森氏が皇室に近づくこと自体が問題ではないのか。

宮内庁も含め、こうした人物と会うこと自体を、皇嗣殿下を、お諫めする人はいないのか。

本当に恐ろしくなった。

●人の世には法にはならぬ常識というものがある

多くの人々が触れているのが、『秋篠宮』で取り上げられた小室圭氏の事柄だ。確かに驚くべき真実が語られている。

例えば、小室氏に関して、その身元を調査したのかと江森氏に問われた際、秋篠宮皇嗣殿下は次のように語ったという。

〈「うーん」秋篠宮は答えづらそうだった。（略）事前に、宮内庁には調査を依頼しなかった。しかし、宮内庁と関係がある人物には相談していた。週刊誌報道で伝えられているような内容はやはり把握できなかったという。〉

〈「個人情報がいろいろとうるさい時代なので、家庭状況などを調査すること自体に問題がありますす」〉

皇族が結婚する際に、相手の家族のことを何も知らないなどということがあるのか――。

この段階で驚いた。

多くの国民が、なぜ結婚したのだろうと疑問を感じていた結婚だった。

本当に何も調べていなかったのか！　これは衝撃的だった。

一般の家庭でも結婚相手は如何なる人物なのかを調べるものではないだろうか。私事だが、結婚に際し、妻のマンションの書棚を見たら、渡部昇一先生の著作が幾つもあって、この人なら大丈夫だと感じたことを思い出す。誰かに調査を頼んだわけではないが、相手がどのような人物なのかを調べることは結婚の前提だと考えていた。義兄、義父とも意気投合し、このご家族なら大丈夫と確信した。

私のような庶民の感覚でも「付き合う」ことと「結婚」は異なる。特に私のような人間は、思想的に受け入れてくれる相手でなければ結婚が出来ない。家に帰って「憲法九条が大切だ」「ラブ&ピース」などと言われたら、夜も眠れない。

秋篠宮皇嗣殿下は、結婚に関しては日本国憲法二十四条を金科玉条のように考えていたという。江森氏によれば、小室圭氏との結婚に関して皇嗣殿下は次のように仰った。

〈「憲法には「婚姻は両性の合意のみに基づいて成立する」と書かれています。私は立場上、憲法を守らなくてはいけません。ですから、二人が結婚したい以上、結婚は駄目だとはいえません」〉

確かに、憲法にはそのように書かれている。皇嗣殿下が憲法を守る立場にあるのも事実だ。法的には、その通りだろう。

しかし、だ。

憲法、法律に従うのは大前提だが、人の世には法にはならぬ常識というものがある。例えば、自分自身の娘がカルト宗教の狂信者と結婚したいと言い始めたら、反対する自由も親にはあるだろう。地下鉄でサリンを撒くことを是とするようなカルト宗教を熱烈に信仰するような人物との結婚を認めないのが常識だろう。自分の娘が確実に不幸になると理解しながら、その結婚を認める両親は少ないのではないか。「眼を覚ませ」と諭（さと）してやるのが親の務めではないのだろうか。江森氏の本を読んでも、多くの人がそのように思うはずだ。定職に就いてから結婚するのが常識ではないか、などとは口に出すのも馬鹿馬鹿しいが、多くの人が感じていた疑問だろう。家族を養えない状況にあったら結婚などすべきではないとは、法律には書かれていない常識である。

●奥平康弘氏の主張に傾倒している江森氏

小室氏に関する江森氏の叙述は、概（おおむ）ね賛同できるようなものだった。

だが、『秋篠宮』を最後まで読めば、江森氏の著作の真意は、小室圭氏の結婚に関する批判ではないことに気づかされる。週刊誌で取り上げたのは小室氏との結婚の話題だが、これはセンセーショナルに販売するための、たったの一章に過ぎない。

本当に江森氏が伝えたいのは、反皇室論だろう。現在の皇室が人権を侵害するとんでもないシステムになっている、というのが彼の主張だ。眞子氏の結婚について、江森氏が次のように述べているが、これが重要だ。

〈私は問題が混迷を深めた背景の一つは、眞子内親王の恋愛の自由が制限されているという

事実に根ざしていると考えている。〉

小室氏との結婚に関して、問題が混迷したのは小室氏の問題ではなく、制度の問題だと江森氏は言いたいようだ。すなわち、皇族の「自由」が制限されていることを江森氏は問題視するのである。「皇族にも一般人と同じ自由を」と主張したいのだろう。俗耳（ぞくじ）に入りやすい言葉ではある。

率直に言って、私が慄然としたのは、小室圭氏の結婚云々の話ではない。ここからその内容を紹介するが、公然と皇室を否定するような主張をする輩（やから）が皇嗣殿下と幾度も話し合われているという事実である。江森氏の著作で重要なのは、彼が明らかに極左思想に影響を受けているということだ。

江森氏は「天皇の自由」との節で東京大学名誉教授であった奥平康弘氏の著作『「萬世一系」の研究』（岩波書店）を紹介する。江森氏が引用している一例を挙げておく。

〈天皇・皇族には、私生活の自由、いわゆるプライバシーの権利が、実際のうえでかなり奪われていると言える。

これら法律上あるいは事実上の不自由は、はたして憲法に違反しないのか。〉

確かに、皇族には一般国民のような自由はない。選挙権も、被選挙権もない。そのような立場だ。それは誰も否定しない。しかし、それを不自由であり、人権侵害であると捉えるのか、そのような立場であると考えるのか、そこは解釈の相違である。一般の国民とは異なる高貴な立場だと私は考える。日本国憲法で象徴天皇を定めている以上、奥平氏の主張は無理がある。さらに言えば、日本国憲法などが出来る遙か以前から皇室が日本に存在していた事実が日本国民の誇りである。萬世一系の皇室の存在こそが日本の誇りなのだ。

だが、江森氏は相当、奥平氏の主張に傾倒しているようだ。

奥平氏が究極の人権として皇室からの「脱出の権利」が認められるべきだと主張していることを紹介し、この件で皇嗣殿下と議論したことを明かしている。「脱出の権利」とは、皇族が自らの意思で皇族を「脱出」する権利である。そもそも皇族を監獄とでも考えない以上、「脱出」云々という表現は生まれないはずだ。皇嗣殿下に「はぐらかされてしまった」と江森氏は言うが、奥平氏の主張を皇嗣殿下の目の前で主張すること自体が信じがたい。

●天皇、皇室を民主主義の敵として憎悪

江森氏は全く語らないが、奥平氏は皇室を敵視し、憲法九条を賛美する極左である。「九条の会」の講演で奥平氏は、次のように語っている。

〈憲法一条には、天皇が国民統合の象徴である、日本国の象徴であると規定しているにもかかわらず、ぼくはあえて九条こそ、日本国をまとめ、日本国民を統合してきたというふうに考えたい。〉（『憲法九条、いまこそ旬』岩波ブックレット）

憲法九条が国民の統合とは全く意味不明だ。少なくとも私は憲法九条によって日本が象徴

されているとは思わない。これは奥平氏自身の思い込みに過ぎないだろう。だが、天皇を敵視し、九条を賛美する奥平の極左的な姿勢は伝わる。たとえ憲法で天皇が認められていても、それは認めたくないというのが彼の本音だろう。彼は正真正銘の反天皇、反皇室のイデオローグなのだ。

私が奥平氏の主張を知ったのは、二十年近くも前のことになる。彼の『「萬世一系」の研究』を学生時代に三度も熟読した。それほど売れた本ではなかったが、今後、左翼の天皇論のバイブルになると予感した。いわばマイルドな皇室反対論なのだ。「天皇制廃絶」を叫んでいたかつての日本共産党の主張ではなく、「皇室の方々への人権を！」と説く、一見マイルドな奥平氏の主張は、一般の人々の賛同を得やすい。ロシア皇帝のように天皇陛下を「殺してしまえ！」との主張は過激だが、人権が制限され、不自由で「可哀想だ」との主張は共感されるはずだからだ。人のよい多くの日本国民が一見すると「優しい」「人権を守る」皇室論に賛同する可能性が高いと考えた。学生時代に奥平氏の主張に今後の左翼はなびいていくだろうとたった一人で危惧したことを思い出す。あの頃、危機感を共有してくれる人はいなかった。だが、二十年近くの歳月を経て、よもや皇嗣殿下の前で奥平氏の主張を展開する人物が出現するとは思いもしなかった。

江森氏が触れない奥平氏の真意を語った叙述を幾つか引用しておこう。すべて江森氏が紹介している『「萬世一系」の研究』からである。

〈私が問題にしたいのは、天皇制がある種のひと（ひとびと）に不自由を強いる構造になっているという制度のつくりかたそれ自体である。〉

〈天皇制は、日本国憲法により設定された制度であるのに、その憲法そのものが基礎とする権利保障体系と民主主義的（国民主権的）原理、すなわち憲法体系とは、ちゃんと整合し得ない因子を含んでおり、その意味でいうならばそれは、それ自体が矛盾態であるという認識が、私には前提としてある。〉

〈天皇制は民主主義とは両立し得ないこと、民主主義は共和制と結びつくほかはない。〉

簡潔に言えば、奥平氏は天皇、皇室を民主主義の敵として憎悪しているのだ。このような人物の説く皇室からの「脱出の自由」を皇嗣殿下の前で説いたという江森氏の叙述に、私は驚愕した。

「脱出の自由」とは、要するに皇室から抜け出す自由を指すが、奥平氏は「退位の自由」、天皇への「不就任の自由」についても認めよと主張している。これらを認めた後の社会を次のように描いている。

〈ひとたび「不就任の自由」が皇位継承候補者みんなに認められるとすると、該当者すべてがひとりひとり順にこの「不就任の自由」を行使することがあるのを、制度上予想してかからねばならない。そうすると（略）「天皇という制度は存立の基礎」を失うことになりかねない。すなわち、「退位の自由」は「不就任の自由」を媒介として皇位継承者たるべき人物は—アガサ・

クリスティではないが―「そして誰も居なくなった！」という事態を招来するかもしれない。〉

彼が望んでいるのは皇室が誰も居なくなった世界であり、そのために脱出の自由や不就任の自由を説いているのだ。皇室の存在が日本国憲法の原理と矛盾していると確信しているのが奥平康弘氏なのだ。憲法九条を心から愛し、皇室を憎み続けた奥平氏の主張を皇嗣殿下の前で堂々と展開する江森氏は不気味ですらある。

●小室圭氏の問題以上の問題

秋篠宮皇嗣殿下と幾度もお会いできる立場にある江森氏が不気味な点は、インタビューと称しながら、自身の左傾化した思想を皇嗣殿下に説いている点である。

『秋篠宮』では、東日本大震災から六年を迎えた追悼式のことが書かれている。このとき、皇嗣殿下は次のように仰った。

〈「原子力発電所の事故によって避難を余儀なくされた地域においても、帰還のできる地域が少しずつではありますが広がってきております」〉

この追悼式で安倍晋三総理（当時）は、原発について言及しなかった。これを問題視したのがジャーナリストの池上彰氏だ。『日本経済新聞』のコラムで原発に触れない安倍総理に「違和感を抱いた」と書き、皇嗣殿下が原発事故に触れていることを称賛した。

別に池上氏が安倍批判を展開しようが、どうでもいいことだ。これ自体には何の興味もない。そもそも彼を中立的な解説者だと思うほうがおかしいのであって、彼を左翼だと思えば合点がいく。だが問題なのは、この記事を江森氏がコピーし皇嗣殿下に見せたと語っている点だ。皇嗣殿下に関する記事だとは言いながらも、露骨に安倍批判をしている記事を喜んでお渡しする神経がわからない。インタビューと称しながら、江森氏は一定の政治思想に皇嗣殿下を導こうとしているのではないかと思えてならないのだ。

不安に感じるのは江森氏の存在だけではない。悠仁親王殿下に昭和史について語ったという半藤一利氏の問題もある。彼は自身が何を殿下に語ったのかを語っている。

〈私が話したことのひとつは、私たちの国は、〝内陸に乏しい〟ということです。北の北海道から南の沖縄まで、長～い海岸線を持っていて、海岸線の長さだけで言えば、日本は世界で6番目に長い。ところが真ん中に山脈が通っているから、生活できる土地は少なく、国民は海岸にへばりついて生きなければなりません。

そして、こんな海岸線を守ろうとしたら何百万もの兵隊が必要になります。

要するに、この国は、戦争になったら守れっこないんですよ。さらに現在は、原発が海岸線沿いにずらっと並んでいる。ますます守れないじゃないですか。こんな日本が戦争をしていいわけがない。これが本当のリアリズムであり、地政学というんです。〉（フライデー「悠仁さまが秋篠宮家の『家庭教師』半藤一利に問うた難しい質問」）

ここで半藤氏が語ったということは、私が彼とＮＨＫの番組に出演した際に語った内容だ。

「日本は武力で守れない」と強調する半藤氏に誰も反論しなかったので、私が反論した。武力だけでは守れない、というのはわかる。しかし、自衛隊、日米同盟といった武力によって日本の平和が守られている側面があるのは否定できない。半藤氏の理屈に従えば、武力で守れないのだから、日本には自衛隊も日米同盟も不要であるとの結論になってしまう。それは、あまりにも馬鹿げた理屈だ。仮に自衛隊も日米同盟もなかったとすれば、明日にでも日本は中国の人民解放軍に侵略されているはずだ。武力のみに頼るのは誤りだが、武力を軽視するのも誤りだろう。国際常識を考えれば誰でも理解できることを理解できない人間が、他ならぬ悠仁親王殿下に講義をしている。これは驚愕すべき事実ではないだろうか。

ロシアがウクライナに侵攻し、多くの国民は憲法九条の幻想から目覚めようとしている。だが、私は心配でならない。もちろん、国防が重要なのは言うまでもない。しかし、日本を日本たらしめている皇室が溶解しているのではないか。

多くの国民は小室圭氏の言動に違和感を覚えた。当然のことだ。しかし、皇嗣殿下に奥平の極左思想に傾倒したような人物が頻繁にお目にかかっているとは衝撃ではないか。まるで自衛隊を否定するかのような人物が昭和史を語るとは、問題ではないか。かつての共産党は「天皇制廃絶」を叫んだ。恐ろしいことだった。しかし、微笑みながら思想的猛毒を皇室に持ち込む人々のほうが共産党以上に危険なのではないか。

私が江森敬治氏の『秋篠宮』を読み、慄然としたのは、学生時代に恐怖した奥平氏の思想が皇室にまで持ち込まれているという事実からだった。小室圭氏の問題以上の問題がここにあることを、広く国民に訴えたい。

【初出】「秋篠宮：その慄然と国難」（『月刊ウイル』二〇二二年七月号）

まぎれもない皇統の汚点

●頭をハンマーで殴られたような強い衝撃

十月二十六日、結婚した小室圭氏と小室眞子氏が記者会見を行った。記者会見を動画で拝見しようと思っていたが、見始めてすぐに気分が悪くなり、途中で視聴を中止した。大いなる違和感を覚えたから、と言うだけではこの衝撃は伝えられない。敢えて言うならば、頭をハンマーで殴られたような強い衝撃を受けたからである。何人かの友人に電話をしたら、一様に会見を最後まで見ていられなかったと述べていたのが印象的だった。

小室眞子氏の全ての言葉を文字で確認したが、憂鬱(ゆううつ)な気分が晴れることはなかった。

例えば、次の箇所だ。

「私と圭さんの結婚について、様々な考え方があることは承知しております。ご迷惑をおかけすることになってしまった方々には、たいへん申し訳なく思っております。

また、私のことを思い静かに心配してくださった方々や事実に基づかない情報に惑わされず、私と圭さんを変わらずに応援してくださった方々に、感謝しております」

表面的に読み取れば、この言葉は「感謝しております」という穏やかな表現だということになる。しかし、よく読んでみれば実際には相当激しい意図が込められた言葉であることが理解できる。ご自身の感謝の対象は「私のことを思い静かに心配してくださった方々」や「事実に基づかない情報に惑わされず、私と圭さんを変わらずに応援してくださった方々」に限定されているからだ。逆に言えば、この結婚に対して反対するような意見を持つ人々や様々な情報を得て、この結婚は応援できないと判断した人々は感謝の対象ではない。敢えて言うならば、「事実に基づかない情報に惑わされ」自分たちの結婚に反対した類の愚か者だと言外に示唆する内容の言葉だ。

質問に対する文書での回答において、「誹謗中傷」という言葉が使われていることも極めて印象的だった。

「一番大きな不安を挙げるのであれば、私や私の家族、圭さんや圭さんのご家族に対する誹謗中傷がこれからも続くのではないかということです」

また、これも極めて異例のことだと思われるが、佳子内親王殿下も次のようにコメントされた。

「結婚に関して、誤った情報が事実であるかのように取り上げられたこと、多くの誹謗中傷があったことを、私もとても悲しく感じていました」

改めて「誹謗中傷」との言葉を手元の国語辞書で調べてみると、当然のことだが「根拠のない悪口を言いふらして、他人を傷つけること」と説明されている。小室圭氏に関して「根拠のない悪口」が言いふらされていたと断言できるだろうか。いわれなき誹謗があったとしたら、それは気の毒だと言わざるを得ないし、そうした誹謗をした人々は反省すべきだろう。しかしながら、多くの国民が疑問に感じていたのが小室圭氏の母親に関する金銭問題だ。この問題に関する国民の疑問を「根拠のない悪口」と決めつけることが出来るのだろうか。

●多くの日本国民が覚えた違和感

小室圭氏が執筆したというA４二八枚にも及ぶ長大な文書を再び読み通してみた。しかし、私が読み解く限り、そこに誠実さや感謝の念といったものを垣間見ることは出来ず、むしろ傲岸な態度しか見いだせなかった。

小室夫妻が渡米する直前に当たる十一月十二日夜、小室圭氏は母親の元婚約者の男性と面会し、金銭トラブルの解決金として四〇〇万円を支払う合意をしたと報じられた。

解決金の支払いに関して小室氏は文書で次のように綴っている。

お金を支払って早期解決を図ることは「借金でなかったものが借金であったことにされてしまう」ことになる。さらに小室氏は続けている。

「借金だったことにされてしまえば、元婚約者の方のおっしゃることが正しかったということとになり、私や母は借金を踏み倒そうとしていた人間だったのだということになります。これは、将来の私の家族までもが借金を踏み倒そうとした人間の家族として見られ続けるということを意味します。それを仕方のないことだとは思いませんでした」

ここでの小室氏の主張は、元婚約者の方が金銭的な援助をしたものであり、貸与したものではなかったという主張だ。だからこそ、過去に次のような文面の手紙をしたためたという。

「ですから貴殿の返済請求している409万3000円は小室佳代が貴殿から贈与を受けたものであって、貸し付けを受けたものではありません。したがいまして、金銭について返済する気持ちはありません」

「貴殿は2012年9月14日、小室佳代に対して一方的に婚約破棄しており、その理由を具体的に明らかにしておりません。小室佳代は、理由も告げられない一方的破棄により精神的に傷を負っております。それに対し、謝罪もそれに対する補償もない状態で、このような請求を受けることについては納得出来ません」

自身、そして家族の名誉を守るために、受けた金銭的援助は借金であるとは認めない。借金でもないものを借金であると言い募ってくる元婚約者の態度は、納得できない。

この態度に、人間的な温かみや誠実さを感じることが出来るだろうか。どのような名目であったにせよ、金銭的な援助があったのは事実であり、少なくとも、その援助に対する感謝の念が表明されてしかるべきではないか。

多くの国民が覚えた違和感はここにある。法的解決以前に、一人の人間としてこの態度はいかがなものなのか。

さらに、小室氏は自身で元婚約者の「返してもらうつもりはなかった」という発言を録音した音声データが存在すると記している。これにも驚き、呆れた国民が多かったはずだ。「相手の発言を無断で録音するとは、なかなか機転の利くしっかりした人間だ」と評価する国民よりも、「金銭的な援助をしてくれた人間を騙すように無断で録音するとは、卑怯(ひきょう)な人間ではないか」と感じた国民が多かっただろう。

過去、世話になった人間に対して無慈悲な手紙を送りつけたり、会話を録音したりするような類の人間が将来の天皇陛下の義理の兄になって大丈夫なのか。これが多くの国民の率直な思いであったはずだ。

●人間にはそれぞれ運命がある

そして私にはよく理解できないのが、結局、金銭トラブルの解決金として四〇〇万円を支払った根拠である。借金でないものを借金として認めることは、自分たちが借金を踏み倒そうとした人間であると認めることになる。だから、金銭を支払うことは出来ないとの小室氏の主張は何処に行ってしまったのだろうか。

まるで国内から「脱出」するかのように、渡米した小室夫妻だが、最後の最後まで一般人ではなかったという点が重要だ。小室夫妻は一般客とは別ルートで保安検査を受け、搭乗口に入った。そして搭乗ゲートまでの道のりは警備がつき、一般客とは時間帯をずらして搭乗口に向かった。

結婚すれば一般人になる、一般人になる人の結婚相手について批判すること自体がおかしい等々の批判があった。まことに愚かな批判だった。なぜなら、将来の天皇陛下の実姉である小室眞子氏が純然たる一般人になることなど不可能だからだ。

人間にはそれぞれ運命がある。どの時代に、どの国に、どの家庭に生まれるのかを我々は自由に選ぶことなど出来ない。人間が完全に自由だなどというのは、愚か者の戯言だ。狂気のジェノサイドが勃発している地域、飢餓に苦しむ時代に生まれたいと望む者はいない。だからこそ、我々はそうした被害者、弱者に同情するのだ。何をしたわけでもない人々が過酷な人生を歩み、あるいは斃れていく。それは悲劇としか呼べない現実だ。

我々は自分たちの実力で幸せになれると信じているが、それも虚妄に過ぎない。生まれた環境が異なれば、自分たちの実力と信ずるその力を発揮することすら不可能なのだ。自らの運命を恨むこともあるだろう。しかし、恨んでも運命は決して変化するものではない。今、ここで自分自身が出来ることは極めて限定的なことであり、運命の中でしか生きられない。そう覚悟したときにこそ、人間は自由に生きることが出来る。人間の自由とは運命に従うことではない。運命に逆らうことでもない。運命を運命として自覚したときに、人間は自由に生きることが出来る。

小室眞子氏は皇室の一員として生まれた。現代日本において極めて特殊な家に生まれたのは間違いのない事実だ。選挙権もなく、被選挙権もない。基本的人権が制約された状況の中で過ごしてきたことを思えば、自由に憧れる気持ちも理解できる。しかしながら、どれほど一般人に憧れようとも、ご自分の運命から逃れることは出来ない。将来の天皇陛下の実姉であるという現実は何も変わらない。

国民の多くが自由に結婚できる時代に生まれながら、自分自身が愛した人物との結婚に反対の声が上がった。なぜ、自分の結婚すら自由にならないのかと悲しい思いをされたのは事実だろう。しかし、それはお立場がお立場であったからだ。今回の結婚を疑問視したり、反対したりした国民は、「事実に基づかない情報に惑わされた」群衆ではない。日本を思い、皇室を敬愛し、天皇陛下を尊敬する日本国民だった。皇室を軽んじ、天皇陛下を蔑ろにするような人々の多くが今回の結婚を応援していたのだ。小室眞子氏の思いとしては、自らが「誹謗中傷」されたように感じられたのだろう。だが、「誹謗中傷」などという言葉を持ち出されたことで、多くの皇室を敬愛する国民が傷ついたことも事実だ。心配するからこそ声を上げた人々が、「誹謗中傷」している人とされた無念にこそ目を向けていただきたいと願ってやまない。

●「祝福しましょうよ」と語る人々の本音

結婚を巡る議論には、おかしな議論が目についた。議論と呼ぶにはあまりにも水準の低い放談の類だが、影響力を考えると無視する訳にいかない座談会を取り上げたい。出席者は漫画家の倉田真由美氏、国際政治学者の三浦瑠麗氏、弁護士の山口真由氏の「ニュース・ポスト・セブン」に掲載された座談会である。結婚に批判的な国民が多い中、「もういい加減、祝福しましょうよ」と声を揃えた三人なのだという。

読んでいて、与太話としか評しようのない、いい加減な話が続く。

例えば、倉田氏の話。

「ちょんまげみたいな髪型が大ニュースになるんだから、日本人はどれだけ小室さんが好きなのかと思っちゃうよね。」

的外れだが、悪意はない他愛のない話であり、目くじら立てて怒るような話ではない。しかし、見逃せないのは三浦氏の次のような指摘である。

「極端なことを言えば、眞子さまには〝不幸になる権利〟もあるんですよね。結婚生活がどうなろうが、それが眞子さまの選択よね、というだけの話」

ここに「祝福しましょうよ」と語る人々の本音が端的に表れているといって過言ではない。将来の天皇陛下の実姉に当たる方の結婚は不幸になっても、それは「眞子さまの選択」なのだから、致し方ないということだ。遠く異国の地で野垂れ死にしようが、詐欺師に欺かれようが、ご自身の選択である以上、それは仕方がないと済ませてしまうわけだ。極めて合理的な発言とも言えるが、多くの日本国民の皇室を敬愛する姿勢とは対極にあると言ってよい。個人の自由というものが最大限尊重されるべきなのだから、他人はあくまで容喙するべきではないとの立場だろう。だが、自分の子供に対してもこのような冷徹なことを言えるだろうか。いやいや、自分の子供は子供であり、皇室の方とは無関係だと言うのだろうか。

だが、GHQが強制した現行憲法においても、天皇陛下は「日本国の象徴であり日本国民統合の象徴」とされている。国民の象徴の実姉に当たる方を、日本国民とは無関係な赤の他人といえるのだろうか。多くの日本国民が今回の結婚を我が事のように捉えたのは、天皇陛下、皇室の問題は決して我々とは無関係な問題ではありえないとの意識があったからだろう。そして、天皇陛下、皇室の問題を我が事の如く捉える姿勢こそが、天皇陛下、皇室と国民との紐帯を示すものに他ならない。

今回の結婚を冷静に分析すると、奇妙で深刻な「ねじれ」が生じていることが理解できる。皇室との紐帯を感じない人々が結婚を祝福し、皇室を強く思う人々が結婚に反対する。そして小室眞子氏は記者会見で前者を「事実に基づかない情報に惑わされず、私と圭さんを変わらずに応援してくださった方々」と呼び、感謝の気持ちを表明され、後者に対しては言外に「事実に基づかない情報に惑わされ」た人々であったと示唆する。感謝どころの話ではなく、無視したと言っても過言ではあるまい。

小室眞子氏の会見で最も問題だったのは、国民の象徴の実姉が国民を二つに分断し、あろうことか皇室との紐帯を軽んずる類の方々への謝意を表したことだ。皇室と国民との紐帯は大東亜戦争の敗戦によっても切り裂かれることはなかった。我が国の最も美しく、世界に誇るべき絆が綻(ほころ)んでいくことを心より憂慮している。

[初出]「まぎれもない皇統の汚点　小室夫妻：NYセレブ逃避行」
（『月刊ウイル』二〇二二年一月号）

第三章　日本の「危険な隣国」の正体

『反日種族主義』は韓国人の呪縛を解くか

●「反日」思想、行動の正体は何なのか

「またなのか……」

韓国が歴史問題に関して日本に対して無理難題を言いだしてくるとき、半ば呆れながら、心の中で呟く日本人が少なくないはずだ。日本と韓国の歴史認識を巡って、日韓の立場があまりに異なるからである。慰安婦の問題にせよ、徴用工の問題にせよ、基本的に日韓基本条約が締結された時点で解決済みの問題のはずだ。

日本は国際社会の規則に従って、韓国との間に国交を回復した。彼我（ひが）によって歴史解釈が異なるのは致し方ないことだが、謝罪や賠償の問題は既に決着が着いている。どのように考えてみても日本側に大義がある。

だが、韓国は執拗に日本へ謝罪要求を幾度となく繰り返す。国際的な法、慣習を無視し、現在の友好関係を破綻させかねない危険性を孕（はら）みながら、何度も何度も壊れたラジオのように日本への謝罪を要求する。

最近では、韓国の現職の議長である文喜相が次のように主張した。

「一言でいいのだ。日本を代表する首相かあるいは、私としては間もなく退位される天皇が

望ましいと思う。その方は戦争犯罪の主犯の息子ではないか。そのような方が一度おばあさんの手を握り、本当に申し訳なかったと一言いえば、すっかり解消されるだろう」

この発言の中で許しがたいのは、上皇陛下を「戦争犯罪の主犯の息子」と讒謗し、謝罪要求をしている点である。これで昭和天皇を「戦争犯罪の主犯」と断言していることになる。これは、不当極まりなかった東京裁判でも認められなかった類の妄言と言っても過言ではない主張である

確かに、韓国にとって、日本に統治されたという事実が屈辱的な歴史だとはいえ、言ってよいことと悪いことがあるのは当然だろう。仮に我々日本国民が、アメリカの大統領が訪日する度に「広島、長崎への原爆投下の謝罪をしろ」「東京大空襲で家族を亡くしたおばあさんに『本当に申し訳なかった』と一言いえ」などと主張したら、どのような事態が生じるだろうか。アメリカは謝罪するよりも前に、「パール・ハーバーへのだまし討ち」を主張するだろう。過去の事実をお互いに責め続けることによって日米関係は破綻しかねない。歴史において重要なのは恩讐を越えていくことなのだが、日本が韓国に対してどのような謝罪をしても応じようとしないのは周知の事実だ。

また、文在寅大統領に至っては、驚愕するような発言をした。

「一度、反省の言葉を述べたから反省が終わったとか、一度、合意をしたから過去が全て過ぎ去り、終わりになるというものではない」

文大統領の言葉を素直に受け止めれば、政府間で合意に至ろうが、真摯な反省がなされていようが、いつでも韓国は問題を蒸し返すことが可能であるということになってしまう。こういう指導者が率いる国家と約束をすることがどれだけ虚しく、愚かなことなのかは、誰もが容易に想像がつくはずである。個人的な人間関係においてもここまで無茶苦茶な論理は存在しない。謝罪をして、受け入れても、翌日になって気分が変わったから、「やはり、お前が悪い」などと言われたら、その人物の精神状態が安定しているのか不安になるのが一般的だろう。

世界の中でも類例を見ないほどの「反日」思想、行動の正体は何なのか。日本国民であれば誰もが不思議に思う現象だろう。

●極めて実証的で信憑性の高い一冊

この問題を考える際の大きな手掛かりとなる一冊が、韓国で販売された。李栄薫編著『反日種族主義』である。李氏はソウル大学経済学部教授として研究に従事し、現在、李承晩学堂校長として広く韓国国民に歴史の事実に向き合う必要性を説いている。李氏の他、金洛年、金容三、朱益鍾、鄭安基、李宇ヨンの各氏が研究者、ジャーナリストの立場から寄稿してなったのが本書である。この本は韓国国民にとって耳の痛いような事実が記載されているが、極めて実証的で信憑性の高い一冊だ。

実証的な内容を紹介する前に、本書を特徴づけている「反日種族主義」という概念についいて理解しておくことが重要だろう。李教授は韓国を支配しているイデオロギーを「反日種族主義」と名づけた。

「民族主義」という言葉を聞いたことがない人は存在しないだろうが、「種族主義」とは、耳慣れない単語である。本書では、その定義が明確に示されているので紹介しよう。

「民族」とは異なる「種族」という概念について、李教授は次のように説明している。

〈個人は全体に没我的に包摂され、集団の目標と指導者を没個性的に受容します。このような集団が種族です。〉

個人の個性が喪失され、特定の政治的目的を持った集団に呑み込まれていく。この集団によって為される政治こそが「種族主義」だというのが、李教授の主張である。本来であれば一人ひとり個性や理性をもったはずの人間が特定の政治的目的をもった集団に呑み込まれ、自分の頭で考えることをやめてしまい、一つの方向に暴走する。それが「種族主義」だ。「反日種族主義」とは、日本を憎悪し、悪罵する目標へと向かう没我的な集団心理に他ならない。

種族主義についての解説を読んだとき、直ちに思い出したのが、ル・ボンの名著『群集心理』だった。ル・ボンは、民主主義社会における群衆の危険性について警鐘を鳴らした偉大な社会心理学者だった。彼は群衆の特徴について、次のように指摘している。

〈衝動的で、興奮しやすく、推理する力のないこと、判断力および批判精神を欠いていること、感情の誇張的であること。〉

衝動的で、興奮しやすい群衆が求めるのは正確な知識ではなく、断定的な言葉である。冷静で理性的な言辞は衝動、興奮へは結びつかない。少し考えてみれば、馬鹿馬鹿しくなるような断定こそが群衆を興奮させるのだ。したがって、ル・ボンは次のようにも指摘している。

〈群衆は、ただ過激な感情にのみ動かされるのであるから、その心を捉えようとする弁士は、強い断定的な言葉を大いに用いねばならない。誇張し断言し反覆すること、そして推論によって何かを証明しようと決して試みないこと、これが、民衆の会合で弁士がよく用いる論法である。〉

群衆は論理的に説得を試みる人物の言葉ではなく、力強く断言する人間を信じる傾向があるということだ。

なお、群集を駆り立てる「過激な感情」の中でも最も強力な結節点となるのが「憎悪」である。憎悪こそが人間を団結させる感情だと喝破したのが、エリック・ホッファーだ。

彼は『大衆運動』の中で、極めて冷静に、次のように指摘した。

〈憎悪はあらゆる統一の動因の中でももっとも容易に受け入れられ、また包容力の広いものである。〉

〈同じ憎しみをもつ人びとと一体になるように、われわれを駆り立てるのは、主として非理性的な憎悪であり、接合の動因の中でもこの種の憎悪が最も効果的で有用なのである。〉人間は喜びや愛情によって結びつくよりも、憎悪によってこそ結びつく。誰かを褒める言葉よりも、誰かを讒謗する言葉に群がるのが人間なのだ。悲しい真実だと言ってよいが、真実は真実だ。

『群集心理』と『大衆運動』を併せて読むと、ヒトラーやレーニンが天才的な扇動者であったことが明白に理解できる。ヒトラーは諸悪の根源をユダヤ人だと断言し、レーニンはブルジョワジーだと決めつけた。群衆はユダヤ人やブルジョワジーがどのような悪事を働いているのかを自ら確認することなく、ユダヤ人、ブルジョワジーを憎悪し、攻撃し、最終的には殺戮した。

こうした大衆運動を、李教授は「種族主義」と名づけているようである。

韓国の種族主義が向かうのは「反日」である。だが、「反日種族主義」の「反日」の説明に入る前に、李教授が「反日種族主義」と深い関係を有しているという「シャーマニズム」、「物質主義」について確認しておきたい。

本書を読むまで私は全く知らなかったのだが、韓国のシャーマニズムの世界ではキリスト教のような「あの世」が存在しない。この世とあの世という区別がなく、死者の霊はこの世に彷徨い続ける。しかも興味深いことに、死者は死んでも生者の身分を維持し続ける。ある小説家が指摘しているように「この世の両班はあの世の両班であり、この世の下男はあの世の下男である」。人間として生きていた時代の地位が、死後の地位をも定めるというのが、韓国のシャーマニズムの特徴だ。

ここで「物質主義」が登場する。シャーマニズムというオカルト的な話が「物質主義」とは、一見すると対立する考え方であるように感じるだろう。だが、真面目に考えてみると一理ある話である。死後の世界においても生きている時代の身分が固定されているのならば、人間は生きているうちに何としても高い身分を獲得しておかねばならないことになる。嘘をつこうが、人を騙そうが、手段を選ばずに地位の向上を目指さねばならない。なぜなら、生きている間に定められた身分が死後も永遠に固定されるとするならば、生きている期間だけが地位の向上を果たせることになるからだ。「物質主義」の精神に従えば、真実や真理などは大きな意味を持たない。地位の向上のみが目的なのだから、目的を果たすために邪魔な真実や真理などは無視すればよいということになる。真実や真理に忠実であろうとするあまり、永遠に固定される身分の向上が果たせないならば、未来永劫後悔することになってしまう。

真実や真理に目を向けずに、目的のためならば手段を厭(いと)わず攻撃に向かう種族主義の根底には、韓国特有のシャーマニズム、「物質主義」が存在するというのが李教授の見立てである。「反日種族主義」とは、「反日」という目的のためならば、真実や真理を無視する。いや、より正確に言えば、真実や真理を歪曲(わいきょく)してまでも「反日」を優先する政治のことを指す。

●文学の世界だけでなく、学問の世界まで侵食

李教授たちは具体的な事例を幾つも挙げているので、その中で私自身が驚嘆したものを紹介しておきたい。

韓国で大ベストセラーとなった小説が『アリラン』だ。著者は趙廷来。一二巻に及ぶ長編小説は三五〇〇万部も売れたという。この小説は、まさに「反日種族主義文学」とでも言うべき内容になっている。

早速、『アリラン』の具体的な箇所を紹介してみよう。

一九四四年、日本の千島列島で朝鮮人労働者に対する虐殺が行われたと記述されている。千島列島で日本軍飛行機のための滑走路を敷き、周辺の山の裾に飛行機の格納庫をつくるために朝鮮人労働者が使役されていた。工事が終わると、日本軍は偽(にせ)の空襲警報を鳴らし、一〇〇〇人に及ぶ朝鮮人労働者を防空壕へと誘った。空襲を逃れるために防空壕に集まった朝鮮人労働者に対して、日本軍は手榴弾を投げ込み、機関銃射撃を加えたという。工事が終わった以上、朝鮮人労働者は不要だとされ、虐殺された。

その虐殺の模様は、次のように生々しく描かれている。

〈防空壕の入り口から何かがヌルヌルと流れ始めた。それは真っ赤な血だった。機関銃は三〇分以上乱射された。時間が経つにつれ、血は細い川のように流れ始めた。（中略）そこに徴用で連れて来られた一〇〇〇人は、結局一人も生き残ることがなかった。千島列島のいろ

いろな島でも、そのようにして四千余人が死んで行ったのだった。〉
この記述が事実だとすれば、非人道的で許されざる虐殺と言ってよいだろう。だが、李教授が調べた結果、そのような事実は存在しなかった。作業環境が劣悪で犠牲者が出たというのは事実だが、日本軍が朝鮮人労働者を虐殺したとする記録も証言もなかったというのだ。まさに「反日」という目的のために、大衆を煽動する「反日種族主義」の典型的な事例だと言ってよい。
驚くのは、「反日種族主義」は文学の世界だけでなく、学問の世界まで侵食していることだ。例えば、韓国では多くの人々が日本の統治時代に、朝鮮半島から米が「収奪」されたと信じ込んでいる。学校の教育現場でも、そのような類の話が流布されているという。だが、金洛年教授が具体的、実証的に米の「収奪」などなかったことを明らかにしている。実際には、朝鮮半島から日本に米が「輸出」されていたのだ。「輸出」が「収奪」ということになれば、現在でも夥しい物品が韓国から「収奪」されていることになってしまう。「輸出」を「収奪」などと表現する人間は、ほとんど誰からも相手にされないはずである。しかしながら、日本の統治時代の話となると、真実や真理は度外視され、「輸出」が「収奪」という話になってしまう。常に日本は横暴な加害者であり、朝鮮は常に弱き被害者という図式に収斂されるのだ。
「反日種族主義」に基づいた歴史解釈に関しては、枚挙にいとまがないと言ってよいほどだ。

例えば、一九七四年から二〇一〇年まで韓国の教科書には、日本が土地調査事業によって朝鮮半島の土地の四〇パーセントを収奪したと記されていた。しかしながら、どの研究者もこの四〇パーセントという根拠を示すことが出来なかった。証明できない数字が歴史の事実として子供たちに教育され続けていたのである。こうした具体的な事例が次から次へと列挙されている本書を読み解くことは、日本国民にとっても、韓国国民にとっても極めて有益だ。歴史の真実を見つめたうえで、日本人は反省すべきは反省し、韓国国民は日本に対する不当な誹謗中傷を慎むべきであろう。

私が本書を読みながら慄然としたのは、いわゆる「強制連行」の話である。朝鮮半島から夥しい人々が「強制動員」されたというのが虚構の話であることは、本書を読む前から既に知っていた。しかし、私が注目したのは、この強制連行の神話が捏造された経緯である。一九六五年、日本の朝鮮大学校（朝鮮総連系）の教員である朴慶植氏が『朝鮮人強制連行の歴史』（未来社）を出版したことが、「強制連行」神話の原点だと本書では指摘されている。この虚構の神話を捏造した背景には、日韓国交正常化を阻止するという政治的目的があったという。

この記述を読んだとき、私は一気に点と点が結ばれて一本の線になっていくような感覚を覚えた。なぜ、反日種族主義に陥って日本を糾弾する人びとが、北朝鮮の蛮行に関して沈黙を守るのかが見えてきたからである。

簡単に言ってしまえば、この「反日種族主義」は北朝鮮の「主体思想」と極めて親和的な関係にある。少なくとも私の眼からすれば、それは限りなく似ている思想態度である。

●「怒らせ、認識させ、立ち上がらせる」という方法論

実際に北朝鮮に渡り、主体思想に洗脳され、有本恵子さんを拉致した八尾恵さんの著書『謝罪します』（文藝春秋）には、北朝鮮の映画による洗脳の様子が描かれている。

例えば、『花を売る乙女』という映画について、八尾さんの説くところを要約してみよう。

時代設定は日本が朝鮮半島を統治していた時代。映画の冒頭では地主と小作農の身分差別が存在し、小作農が狡猾（こうかつ）な地主に徹底的に搾取され、虐待される場面が描かれている。主人公はコップニという少女で、彼女は病気の母の薬を買うために花売りをしている。高い利息で米を貸し付ける地主は、借金の形（かた）に病弱の母を下女として使う。地主は下女に対して極めて意地悪だ。コップニの妹は視覚障碍者なのだが、そもそもこの障碍は地主にいじめられた結果によるものだ。怒ったコップニの兄は地主の家に火を放ち復讐しようとするが、逮捕されてしまう。間もなく、病弱な母は息を引き取る。

　地主の妻が重い病にかかると、地主はその原因を巫女に尋ねる。巫女は下女であったコップニの母の「たたり」のためだと云う。ここからの展開は非常に不思議なのだが、厄払いのために、盲目の妹を地主は殺そうと試みる。コップニは妹を救おうとするが、囚われてしま

う。このときコップニの兄が脱獄し、横暴な地主の所業に耐えかねた小作人たちと一緒に地主を襲い、コップニを救出する。そして兄は言う。

「こんな苦労をしなければならないのは、日本帝国主義に祖国を奪われたからだ」

「敵を倒し、祖国を取り戻し、地主や資本家のいない社会を築こう」

革命の大義に気づいたコップニは革命の花を売るかごの中にパンフレットをしのばせ、パンフレットをばら撒く。

八尾さんによれば、この『花を売る乙女』は、思想教育のための映画だという。物語の筋を簡潔化すると、視聴者を「怒らせ」、「認識させ」、「立ち上がる」ように出来ているというのだ。

確かに、死傷者は横暴な地主の所業に「怒り」、その原因を考え始める。そして、コップニの兄の発言によって、原因は地主が存在するという資本主義社会、そして日本帝国主義に存在すると「認識する」。そして、最終的には少女であるコップニですら革命のために「立ち上がる」ことになるのだ。

こうした北朝鮮の映画は、主体思想と無縁ではない。金正日は『映画芸術論』の中で、芸術のあり方を極めて具体的に記述している。

繰り返し金正日が強調するのは、作品には「種子」がなければならないということだ。作品の種子とはどのようなものなのか、金正日は次のように説く。

〈作品の思想も種子に根ざしているものであるから、種子を明確にとらえることなしには、生活をつうじて意義のある思想を深く解明することができない。種子が有意義かつ明確であってこそ、それに根ざすテーマと思想が有意義なものとなり、明確に生かされる。〉

〈種子はなによりもまず、党政策の要求に即してとらえなければならない。〉

ここで金正日が説くのは、作品の優劣を定めるのは作品の核となる種子の優劣によるということだ。そして、その種子の優劣は「党政策の要求に即して」判断される。

さらに金正日は、作家のあり方、種子の選び方についても次のように述べる。

〈党の政策にもとづいて現実に対応する作家であってこそ、生活が提起するすべての問題を正しく識別できる。ここで重要なのは、よい種子を探すために党の政策を研究するというより、党の政策を積極的に擁護する作品を書くために種子を見つけだすという革命的立場を堅持することである。〉

〈作家は、我が党の唯一思想、偉大なチュチェ思想をしっかりと身につけ、社会主義・共産主義偉業の勝利をめざす朝鮮人民の誇らしい闘争と生活から有意義な種子を見いだすべきである。〉

色々な理屈で粉飾(ふんしょく)しているように見えるが、彼の芸術論の核心は、芸術とは朝鮮労働党の行動を擁護する内容でなければならず、その根本には主体思想がなければならないということだ。芸術とは、美の追究でもなければ、個性の表現でもない。偉大なる首領である金日成、そしてその後継者である金一族の行動を徹底的に擁護し、美化し、人民を偉大なる金一族へと心の底から帰依させる内容でなければならないというのだ。金一族の偉大な指導へ心の底から感謝するように人民を「領導」することが芸術の本質であるということだ。

そのために、具体的には「怒らせ、認識させ、立ち上がらせる」という方法論が採られることになる。

私はこの主体思想に基づく北朝鮮の論理は、芸術論の範囲にとどまっていないと考える。事実として、彼らは歴史を偽造している。朝鮮半島で多くの人々が霊峰と仰ぐ白頭山を彼らは利用した。

『反日種族主義』では、次のような逸話が紹介されている。

一九八七年、北朝鮮は「白頭山一帯で抗日戦士のスローガンが発見された」と報じた。そのスローガンは、民族の領袖である金日成を讃えるものばかりであった。息子である金正日が生誕した日の夜には、白頭山の天池に光明星が現れたことを証言するスローガンもあったという。だが、それらはすべて北朝鮮政府が金一族を美化するための捏造のスローガンだったのだ。さらに、金日成は、白頭山の頂上に丸太の家を建て、抗日パルチザンの密営だと説き、ここで金正日が生まれたとも虚偽をばら撒いた。

自分たちの目的に合わせて真実、事実を歪曲しても構わないという「種族主義」と瓜二つの態度と言ってよいだろう。

北朝鮮は「反日」も目的のために利用する。『反日種族主義』は、この原因について考える際に極めて参考になった。

紙幅の関係から、簡潔に述べるが、朴正熙大統領や白善燁将軍のように、大韓民国の建国者たちは、もともとは日本と協力関係にあった人たちが極めて多い。したがって、「反日種族主義」を煽り立て、この人々を「親日派」として貶めれば貶めるほど大韓民国の正統性は揺らいでいくことになる。歴史を歪曲してでも「反日」を煽動することは、北朝鮮の目的にかなった行為なのである。事実、「積弊清算」を掲げる文在寅大統領は、極めて反日的な態度を維持する一方で、北朝鮮に対しては驚くほど融和的である。北朝鮮にとって有益な人物と言ってよいだろう。

多くの韓国人を「反日」という目的のために「怒らせ」、「認識させ」、「立ち上がらせる」ことが「反日種族主義」だとするならば、やはり「主体思想」と酷似している。

韓国の良心であり知性でもある李教授たちの『反日種族主義』は、決して日本統治を美化するために書かれた本ではない。韓国人を覚醒させるために書かれた本だ。本書を読み、「反日種族主義」、ひいては「主体思想」の呪縛から解き放たれる韓国人が数多く出現することを期待したい。

［初出］「『反日種族主義』は韓国人の呪縛を解くか」（『月刊ウイル』二〇二〇年一月号）

北朝鮮の精神的支柱＝主体思想はオウムに通ずる

●なぜ人間は全体主義に取り憑かれてしまうのか

全体主義には不思議な魅力がある。「魅力」というと語弊があるかもしれないが、私のような研究者を惹きつけてやまない力があるのだ。地上から全てのユダヤ人を消滅させろと主張したヒトラーのナチズム、資本家を全て根絶やしにしてしまえと獅子吼したレーニン、スターリンの共産主義。なぜ、人間がこのような狂気の思想に取り憑かれてしまうのかを考えると、人間性とは何かという問題にまでたどり着くことになる。極限状態に置かれた人間が全体主義思想に冒され、非人間的としか思えない犯罪に手を染めていく様子を眺めると、一体、人間とは何か、人間性とは何かを痛切に考えざるを得なくなるのである。

全体主義を理解するために重要なのは、その政治体制を支える根本的な政治思想、イデオロギーを理解することである。ナチズムを理解するためには、ヒトラーの『我が闘争』を読むことが重要だし、ソ連の共産主義を理解するためにはレーニンの一連の著作を理解することが必要だろう。

実際に、ヒトラーとレーニンの主張をここで引用してみよう。

まずはヒトラーである。

〈ユダヤ人は血を吸うヒルとして国民に取りつき、屍をつたって商売と政治に入り込むのである。…（略）…万国の労働者よ団結せよ！というべきではない。戦いの叫びはこうでなければならない、万国の反ユダヤ主義者よ団結せよ！〉

ユダヤ人に対する嫌悪（けんお）が端的に表現された一文だが、多くの人はこの主張を「修辞」とみなした。要するに、大袈裟に言っているだけで、実際にここまでは考えていないだろうと理解していたのである。多くのユダヤ人も狂気の独裁者の言葉を真（ま）に受けなかった。いくらヒトラーであっても、このような残虐なことをするはずがないと思い込んでいたのである。この理解が誤っていたことは、歴史が証明したとおりである。

日本ではヒトラーの残虐性が強調されるが、レーニンも同様に残虐な独裁者であったことを忘れるべきではない。「スターリン主義」云々といって、スターリン個人を批判して、レーニンを擁護しようとする人々が多いが、スターリンはレーニンの後継者であり、レーニンこそがソ連という全体主義国家を築き上げた冷酷な独裁者である。スターリン一人に全ての罪を押しつけ、共産主義思想という全体主義思想を擁護するような愚を犯すべきではない。

レーニンの主張も引用しておこう。これはレーニンがある人物に宛てた手紙からの抜粋だ。

〈クラークは最も野蛮で、最も粗暴で、そして最も残忍な搾取者である。これらの搾取者は、民衆が欠乏に苦しむさなかに裕福になった。…（略）…人を陥れるこの蜘蛛のような奴らは、戦争によって貧困化した農民や、腹を空かせた労働者を犠牲にして肥えてきた。…（略）…この吸血鬼のような奴らは貧しい農民を何度も隷従させながら、地主の土地をみずからの掌中に収めてきたし、今もそうしつづけている。こんなクラークに対して容赦のない戦争を！彼らを死に至らしめるのだ。〉

文中にある「クラーク」とは富農（ふのう）を指す。レーニンは富裕層を民衆の敵とみなし、彼らの全滅を試みた血も涙もない独裁者だった。昨今、レーニンを再評価する白井聡氏のような人物が存在するが、これはヒトラー礼賛者と同様に危険な人物とみなすべきであろう。

●北朝鮮が核兵器を放棄する可能性がゼロに近い理由

全体主義の思想、そして全体主義体制の非人道的な犯罪行為について色々と研究してきたが、私は現在、存在し続けている全体主義思想を見落としていた。北朝鮮の独裁体制を擁護する「主体思想」という狂気の全体主義だ。

私が主体思想に真剣に取り組むようになったのは、『金正恩著作集』（白峰社）全二巻を丹念に読み解いたことからである。ヒトラーやレーニンの著作を丹念に読み込むと、全体主義体制の犯罪行為は、事前に独裁者たちによって宣告されていることがわかる。私は『金正恩著作集』を真剣に読み込むところから、北朝鮮の国家の論理というものが理解できるであろうと考えたのである。

例えば、私は北朝鮮が核兵器を放棄する可能性は限りなくゼロに近いと考えている。その根拠となるのは、金正恩の次の主張があるからだ。

〈先軍はわれわれの自主であり、尊厳であり、生命です。われわれは、かつて軍事力が弱かったため国をすべて失い、植民地奴隷の悲惨な運命を強いられた地と涙の歴史的教訓を忘れてはなりません。軍事力が弱ければ自主権と生存権も守ることができず、最後には帝国主義者のえじきになってしまうのが、こんにちの厳然たる現実です。したがって、軍事力を強化する事業を一貫して続けていかなければなりません。〉

北朝鮮の論理では、偉大なる朝鮮民族は軍事力が弱かったために植民地になってしまったのだから、軍事力を強化することが全てに優先するということになる。そういう論理を打ち出している以上、軍事力の象徴である核兵器を放棄することなどあり得ないというのが私の見立てである。

金正恩の著作集を読んでいて気になったのは、「自主」という言葉が多用されていることである。独立と言えばよいはずなのに、なぜ「自主」という言葉にこだわるのか、不可解に感じたのだ。そこで、さらに北朝鮮の政治思想を読み解いてみようと考え、調査を始めると、この「自主」という言葉が「主体思想」から導き出された言葉であることが分かった。

主体思想を実際につくり上げた男は、黄長燁（こうちょうよう）だ。彼は北朝鮮から韓国に亡命し、主体思想について色々と解説しているが、本質的にマルクス主義的な主体思想を否定することがなかった人物である。だが、彼の警鐘は傾聴に値する。

黄は金正日の戦略について、次のように語っている。

〈いまは、この南朝鮮に共産主義を許容する容共・反米政権を立てること。アメリカと韓国を引き離し、国家保安法を廃止してここに容共左翼・反米政権を立てて連邦制を宣言し、じょじょに掌握しようとしていると思う。〉（久保田るり子『金正日を告発する　黄長燁の語る朝鮮半島の実相』産経新聞出版）

〈北に対して平和を願うようにしむけ、容共左翼勢力を強化することをやっている。米国との関係、日本との関係を乖離させている。〉（前掲書）

現在、韓国で進行している現実を予言していたかのような発言と言ってよいだろう。北朝鮮は国家戦略として主体思想を中心に据え、かなり長期的な戦略を立て、実践してきた国家であり、これを見くびることは危険以外の何ものでもない。

●北朝鮮の歩みを正当化するためのイデオロギー

北朝鮮の国家哲学とでもいうべき主体思想は、歴史の中で生まれてきた哲学と言ってよい。当初から主体思想を構築しようとしてきたのではなく、北朝鮮の歩みを正当化するために構築されたイデオロギーなのである。

主体思想において重要視されているのは、「思想における主体」「政治における自主」「経済における自立」「国防における自衛」とされている。なぜ、彼らが「自主」「主体」といった言葉に拘泥するのかは、金日成の権力闘争と密接に関わっている。

当初、金日成はスターリン主義者だったが、朝鮮戦争の際にスターリンが北朝鮮を積極的に支援しなかったこと、フルシチョフがスターリン批判をしたことなどから、次第にソ連と疎遠になっていく。国内においてもソ連を重視する一派と権力闘争を繰り広げ、粛清に成功する。次に金日成は中国との関係を重視するが、文化大革命の際、金日成を批判する壁新聞が存在したことに激怒し、中国との関係も悪化する。このときには、国内における延安派と呼ばれる中国重視派を粛清する。

朝鮮半島には事大主義という考え方が存在する。強い者に服従し、自分の立場を守ろうとする考え方が。金日成はソ連も中国も頼りにはならない、事大主義では国家を守れないと判断し、「自主」が大切だと説き始めたのだ。ソ連や中国との関係が円滑なものであったならば、「自主」を異常なほど尊重する主体思想は生まれなかった可能性があると言っても過言ではない。変化する国際情勢、国内の政情の中で自らを正当化するためにつくられたのが主体思想なのである。

主体思想を理解するうえで重要になるテキストは、金正日の名で出版されている『チュチェ思想について』という論考、そして『主体思想教養で提起されるいくつかの問題点について』という論考である。以下は、この論考を中心にしながら、主体思想の核心を剔抉してみたい。

主体思想とは「人間中心の新しい哲学思想」とされる。人間があらゆるものの主人であり、全てを決定するというのだ。

〈人間があらゆるものの主人であるというのは、人間が世界と自己の運命の主人であることを意味し、人間がすべてを決定するというのは、人間が世界を改造し自己の運命を開くうえで決定的な役割を果たすことを意味します。〉

端的に言ってしまえば、傲岸不遜な思想だ。エドマンド・バークが『フランス革命の省察』で喝破したように、人間の理性とは頼りないものでしかない。だからこそ、先祖の叡智である伝統を重んずるというのが保守主義だ。人間の力を過大視しているあたりが、唯物論的な共産主義思想の残滓を感じさせると言ってよいだろう。

だが、この人間中心の哲学というだけでは、北朝鮮の独裁体制を擁護するイデオロギーにはならない。人間を重視するならば、あの抑圧的で人権を全く無視したような収容所の存在が認められるはずがないからだ。

いったい、この人間中心を唱える主体思想のどこに独裁政治を擁護するイデオロギーが存在しているのか。この部分に注目しながら精読してみると、実に興味深い指摘が存在した。

〈人民大衆が歴史の主体としての地位を占めてその役割を果たすためには、かならず指導が大衆に結びつかなくてはなりません。人民大衆は歴史の創造者ではあるが、正しい指導がなければ社会・歴史発展の主体としての地位を占め、役割を果たすことができません。〉

ここで明らかにされているのは、人民大衆が歴史をつくるのは間違いないが、「指導」がなければならないということだ。いったい、この「指導」とは何を意味するのか。

〈革命運動、共産主義運動における指導の問題は、人民大衆にたいする党と領袖の指導の問題にほかなりません。革命的に意識化、組織化されるか、いかに自己の革命任務と歴史的使命を遂行するかは、党と領袖の正しい指導を受けるか否かにかかっています。〉（『チュチェ思想について』）

この論考を読んで驚くのは、人民は領袖、党の指導を受けることがなければ、「正しく」行動することが出来ないと指摘されており、領袖、党に服従することだけが「正しい」あり方だとされている点である。個人の自由などは一切が否定され、徹底的な服従のみが強調されている。まさに全体主義の論理である。

この服従の論理は、年を経るごとに強調されていく。

〈人民大衆が革命の自主的な主体になるためには、党と首領の領導のもとに一つの思想、一つの組織に結束されなければなりません。…（略）…革命の主体は首領、党、大衆の統一体です。〉（『主体思想教養で提起されるいくつかの問題点について』）

人民が首領、領袖、要するに金家族に服従することがすべてであると幾度となく強調されているが、それに加えて興味深いのが「社会政治的生命体」という、一種の宗教じみた観念が提起されていることである。

この社会政治的生命体について解説している部分を、引用してみよう。

〈偉大な首領・金日成同志は、史上初めて、個人の肉体的生命と区別される社会政治的生命体があることを明らかにしてくださいました。永生する社会政治的生命は、首領、党、大衆の統一体である社会政治的集団を離れては考えられません。個々の人間は、ひたすら、このような社会政治的集団の一員になることによってのみ、永牛の社会政治的生命を身につけることができます。〉

〈社会政治的集団の生命の中心は、この集団の最高頭脳である首領です。〉

金一族のために奴隷的に奉仕することによって、個々の肉体的な生命を越える「社会政治的生命」を身につけることができるというのだが、これは唯物思想でも、共産主義でもない。一種のカルト宗教のような論理である。みずからの命を投げ棄てて金一族のために働けば、肉体的な生命は滅びようとも「社会政治的生命体」として生き残ることが出来るというのである。

主体思想の本質とは、表面的に書かれている人間尊重云々という美辞麗句は全く意味がなく、人民に完全な服従を強いる全体主義思想であるということだ。

●主体思想は日本国内で脈々と生き続けている

恐ろしいのは、この主体思想が日本と無関係ではないということだ。日本国内でチュチェ思想研究会に入り、北朝鮮に渡り、有本恵子さんを拉致した八尾恵氏は『謝罪します』（文藝春秋）という本を書いている。この本を読むと日本国内に存在する主体思想研究会が恐ろしい組織であることを再確認させらる。

無邪気に北朝鮮に渡った八尾氏は、自らが主体思想に洗脳されていく様子を次のように描いている。

〈私は金日成主義を自分の唯一の信念体系にしていくことにより、自律心を失い、金日成、金正日の支配によるカルトグループに依存してしか生きられないようになっていきました。私は自分の頭で考えなくなりました。すべての思考と行動の基準は金日成の教示から答えを見抜けるようになりました。〉

自分の頭で考えることを止める。これが全体主義の一つの特徴だ。ハンナ・アレントが『イェルサレムのアイヒマン』で描き出したように、最も残酷なのは信念をもって殺人を犯すことではなく、考えることを放棄して、淡々と殺戮作業に従事する類の人間なのである。

八尾氏が自らを取り戻した契機も興味深い。ニュースでオウム真理教の信者による地下鉄サリン事件を見たとき、自らの中に衝撃が走ったという。

〈事件は私には衝撃的でした。私が命懸けで信じ守り抜いてきた思想（引用者注・主体思想）も活動も「何から何まで本質的にはオウムと同じだ」と直感しました。〉

この述懐は非常に迫力のある述懐である。主体思想を冷静に分析してみれば、金一族に服従を誓い、全ての自由を放棄するだけの全体主義思想であることは明らかだが、この思想を一度信じ込んでしまうと周りが見えなくなってくる。文字通り「洗脳」状態に陥るのだ。それはオウム真理教の麻原彰晃の命令を絶対視する姿勢と極めて似ている。

私が憂慮しているのは、主体思想が日本国内で脈々と生き続けていることだ。沖縄問題、アイヌ問題の裏には、主体思想が存在している。私がこう主張すると、まるで陰謀論者のように非難されるが、これは事実なのである。

最後に一例だけ挙げておく。主体思想研究会の中心的人物である尾上健一氏は、アイヌの問題について次のように語っている。

〈アイヌ民族はみずからの解放のために、政治、経済、文化の三つの権利を自分の力でかちとることが重要です。〉（『自主・平和の思想』白峰社）

〈アイヌ民族の政治的権利を獲得するうえで重要なことは、アイヌ民族の民族解放を全面的に実現するための政治的集団をつくり、地道な活動を積み上げていくことです。〉

最も重要な提案は次の提案だ。

〈アイヌ民族が日本で民族としての自覚や誇りをもって生きていくために、今後重要なことは民族学校をつくっていくことでしょう。…（略）…アイヌ民族の学校は、算数や理科などの基礎的な強化もすべて教え、アイヌ語やアイヌ民族の歴史や文化を教えていきます。

アイヌ民族の学校は一条校ではなく、各種学校として設立していくのがよいでしょう。〉

ここで尾上氏が提唱している一条校とは、学校教育法第一条で定められている学校であり、これらの学校では文科省の学習指導要領に従うことが前提とされている。すなわち、尾上氏は文科省の指示に従わず、独自の教育課程をつくり、そこでアイヌ民族としての誇りを教えろと説いているのである。

今後、アイヌ学校の設立を求める運動が展開されることになるはずだ。その裏には「主体思想」が存在していることを、日本国民は深く認識しておくべきだ。

［初出］「北朝鮮の精神的支柱＝主体思想はイコール、オウム』」
（『月刊ウイル』二〇一九年十二月号）

日本政府との闘争を煽る主体思想

●体制擁護のイデオロギーが過剰な共産主義国

政治体制を支える思想というものが存在する。日頃は意識することはないが、我々の自由民主主義体制でも、そのような政治思想が存在している。例えば、基本的人権の尊重をすべきだという人権思想や各人の基本的自由を擁護するリベラリズムだ。国家権力が恣意的に批判者を弾圧し、投獄することは暴挙とみなされるだろうし、法律の範囲内における自由を徹底的に弾圧することも許されるべきではないと考えられている。我々はそうした基本的人権のだ。普段意識することがないが、物事の本質に立ち返って考えてみれば、そうしたイデオロギーを容易に見いだすことが可能だ。

自由民主主義社会とは対照的に、体制擁護のイデオロギーが過剰である国々も存在する。最も典型的なイデオロギー過剰な国家が、共産主義国だ。共産主義を唯一の科学的な「真理」と位置づけ、全ての行動がイデオロギーに一致していることが求められる。共産主義を否定するものは、政治体制、「真理」を否定する危険な人物と断定され、「反革命」の罪に問われ、時には強制収容所に送られる。

政治体制には、その強弱は別としても、少なからずそうした政治体制を擁護する思想が存在すると仮定してみよう。そうした前提に立って観察してみると、一見、意外に思える不思議な国家の行動論理というものが見えてくる。

考えてみたいのは北朝鮮である。北朝鮮という国家を支えるイデオロギーとは何なのか。国民の基本的自由や人権の尊重が無視されていることは周知の事実だが、この国の統治の正統性を支える政治思想というものが存在するのだろうか？

共産主義こそが北朝鮮の全体主義体制を支える政治思想だと思う人もいるかもしれないが、実際に北朝鮮の政治思想を分析してみると、彼らは共産主義を評価しつつも、それを乗り越えたと称する特異な「主体」を政治体制の中核に位置づけている。

日本で北朝鮮問題に興味、関心のある人ならば、「主体思想」という言葉を耳にしたことがあるはずだ。だが、この「主体思想」がどのような思想を意味するのか、そして、この「主体思想」が日本とどのような関係にあるのかを理解している人は少ないはずだ。実は、沖縄基地問題、アイヌ問題に「主体思想」が深く関わっている。

●人間、民衆を主体とすると称しながら……

「主体思想」を知るための最良のテキストは、金正恩の実父である金正日の名で刊行されている「主体思想について」（在日本朝鮮人総聯合会中央常任委員会・発行）というパンフレットだ。

金正日は「主体思想」について、次のように定義している。

〈主体思想は人間中心の新しい哲学思想であります。〉

〈主体思想の哲学的原理は、世界における人間の地位と役割を解明した人間本位の哲学的原理であります。〉

宗教のように人間を超えた何かを一切否定し、人間のみが世界を切り拓くという姿勢に傲慢さを感じるかもしれないが、全体主義を擁護するような哲学ではないよう思われるはずだ。人間が中心であり、人民こそが歴史の主体となって革命を進め、真の理想的な社会を実現すべきであるというのが主体思想の顕教的部分である。

しかし、この金正日の論考をよく読み込んでみると、主体であるはずの人間、民衆の立場のコペルニクス的転換とでも称すべき逆転が記されている。

〈人民大衆が歴史の主体としての地位を占めてその役割を果たすためには、必ず指導が大衆に結びつかなくてはなりません。人民大衆は歴史の創造者ではあるが、正しい指導がなければ社会・歴史発展の主体としての地位を占め、その役割を果たすことができません。〉

〈労働者階級をはじめ人民大衆は党と指導者の正しい指導を受けてこそ、自然と社会を改造するきびしく複雑な革命闘争を力強く展開し、民族解放と階級解放をなし遂げ、社会主義・共産主義社会を成功裏に建設し、それを正しく運営することができます。〉

確かに一人ひとりの人間、そして、その集団である民衆が歴史の主体であるのは間違いない。しかしながら、そうした民衆に「正しい指導」がなければ、歴史は進歩しない。すなわち「人民大衆」は「党」と「指導者」の「正しい指導」を受けなければ、歴史の主体として活動することは出来ない。これが「主体思想」の本当の意味であり、これこそが北朝鮮の独裁体制を支えるイデオロギーに他ならないのである。

「主体思想」に従えば、人民は常に党と指導者の「正しい指導」を受けなければならないのであるから、人民が党や指導者の命令に逆らうことは許されない。そうした反逆行為は歴史の進歩を妨害する反革命的な犯罪と解釈されることになるのだ。

「主体思想」のもう一つの特徴は、その極度な民族主義にある。こうした民族主義を背景とした「主体思想」の成立には、政治的情勢の変化があった。共産主義国家であるソ連と距離を置かざるをえない状況にあった金日成は、共産主義を前提としながらも、それぞれの民族の状況に応じた進歩のあり方があると説いた。彼は民族主義を鼓吹し、思想的主体性、政治的自主性、経済における自立民族経済、国防における自衛を目指すべきであると説いたのだ。

以上を踏まえてみるならば、「主体思想」とは、人間、民衆を主体とすると称しながら、国内においては党、指導者に対する絶対服従を求める思想であり、対外的には極度な民族主義的立場を貫徹する思想ということが出来るだろう。

●「集団主義」を破壊するものは「処罰」せよとの発想

日本における主体思想の広がりを考察するうえで、欠かすことが出来ないのが『金日成・金正日主義研究』という雑誌である。この雑誌を分析してみると、ほとんど同じ執筆者が同じような主張を繰り返していることが分かる。そして、彼らが最も注目しているのが沖縄の米軍基地問題であり、アイヌ問題なのである。

彼らが賛美するのは、言うまでもなく「主体思想」だ。彼らの主張をそのまま引用する。

〈わたしたち日本人にこそ自主自立、正義と平和のチュチェ思想が必要なのです。〉

（池辺幸恵「日本の社会にチュチェ思想を浸透させたい」『金日成・金正日主義研究』第一五八号、一五四頁）

〈金日成・金正日主義のみが人類の明るい未来をさし示しています。〉

（佐久川政一「基地移設反対は県民の意思」『金日成・金正日主義研究』一五三号、一二三頁）

掲載当時、池辺幸恵氏は日朝音楽芸術交流会会長、佐久川政一氏は沖縄大学の名誉教授で、金日成・金正日主義研究沖縄連絡会代表を務めている。佐久川氏は沖縄問題の解決に重要なのが主体思想だと説く。

〈金正恩第一書記が体系化した金日成・金正日主義に学び、チュチェ思想の旗をかかげて自主・平和の日本と沖縄を目指していきましょう。〉（前掲誌、二四頁）

〈チュチェ思想は、沖縄闘争の思想的武器だと思っています。〉（二〇一四年十月号、四八頁）

沖縄問題と「主体思想」を関連させているのは、佐久間氏ばかりではない。「沖縄の基地問題の解決は朝鮮との連帯が不可欠」との論題で、歯科医師の新里正武氏は次のように指摘している。

〈朝鮮は自主を貫いており、中国やロシア、欧米諸国に従属しない立場が鮮明です。〉

（二〇一九年一月号、一四六頁）

〈チュチェ思想は、民衆が戦いの主人であり、民衆が自覚し、政治思想的に団結した力によって社会は発展していくことを明らかにした思想です。それゆえ、沖縄の戦いをすすめる私たち自身が民衆の中に入り、苦労をいとわず民衆を励まして団結を求めていくことが大切ではないでしょうか。〉（一五一頁）

国際的に孤立し、自国民の多くが餓死しているような経済状態にある国の極めて全体主義的な理念を賛美する姿勢に違和感を覚えるが、彼らの眼からすると「主体思想」によって統治されている北朝鮮は理想の国に見えているようだ。

「チュチェ思想を基本にして、『資本論』を読んでみると、多くの研究者が解釈しているのとはちがう真髄が把握できると思うようになった」という埼玉大学名誉教授の鎌倉孝夫氏によれば、「チュチェ思想の基本的な考え方は、人間を人間中心にとらえる」ものであるのに対し、「安倍晋三首相は、日本の社会、人間社会をお金や大資本を基本に考えている」。

それゆえに、鎌倉氏は「民衆・人民みんなが主体となった人間らしい生き方を実現化している北朝鮮」を賛美する。(「金日成主席の革命活動と思想・技術・文化革命の推進」、二〇一八年四月号)

いったい、彼らは過酷な状況下で最低限度の基本的人権すら蹂躙(じゅうりん)されている状況を何も知らないのだろうかと疑問に思わざるを得ない。要するに、全体主義の現実を全く知らないからこそ、このような非現実的発言を繰り返しているように思えるのだ。彼らは「主体思想」の顕教部分だけに注目し、残酷な独裁擁護の思想であることを知らないのだろうか。

中には全く独裁擁護論を知らずに北朝鮮を擁護している人々も存在するだろう。だが、この雑誌に寄稿された論考を隅々まで読んでみると、別の考え方も出来るようになる。

例えば、日本全土から米軍基地を撤退させよと主張し、安倍政権の安保政策を徹底的に批判している沖縄大学名誉教授の平良研一氏は、米軍基地の存在が侵略の拠点であると説く。

〈沖縄にある米軍基地は、アメリカが東アジアを侵略するうえでの拠点として位置付けられており、侵略を目的としたよこしまな意図で設置されています。〉（「基地をなくさなければ平和も安全もない」二〇一六年十月号、一〇五頁）

現実とは懸け離れた主張だが、日本には言論の自由がある。こういうものの見方をする人も存在するのかと思うが、次の主張は、あまりに過激である。

〈個人主義的な欲望が集団主義の原則を崩壊させ、体制の終焉をもたらしかねません。一人はみんなのために、みんなは一人のためにという社会を建設するためには、原則をいちじるしく踏み外し、資本主義的な欲望に走り、民衆の利益を侵害するものにたいしては処罰しなければなりません。〉（「自主時代をひらく朝鮮人民と沖縄県民の闘い」二〇一九年四月号、八〇頁）

「集団主義」を破壊するものは「処罰」せよとの発想は、あまりに全体主義的発想ではないだろうか。

●沖縄の米軍基地が撤退すれば北朝鮮の国益にかなう

ところで、「主体思想」が沖縄問題、アイヌ問題に積極的なのはなぜか。それは、「沖縄県民」「アイヌ民族」の「自主性」「主体性」が日本国政府によって妨害されていると、「主体思想」

を信奉する人々が解釈しているからだ。沖縄、アイヌが積極的に主体性を発揮するためには、彼らの主体性を妨げている日本政府と闘争する以外に道はないと扇動する。彼らの闘争は北朝鮮にとって有益だ。例えば、北朝鮮の立場からすれば、米軍基地とは北朝鮮を狙う基地に他ならないのだから、沖縄において米軍基地が撤退することになれば北朝鮮の国益にかなうことになる。北朝鮮側が「主体思想」の名のもとに、「沖縄問題」を北朝鮮の有利なように動かそうとしていると判断してよいだろう。

戦後日本にとって沖縄の基地問題は、重要な問題の一つであり続けている。安全保障の観点から見れば、米軍基地が必要なのは火を見るよりも明らかだ。しかしながら、大東亜戦争末期に地上戦でアメリカ人に家族を殺害された人々も多い。繊細な問題であり、一気に解決を図ることが困難な問題でもある。こうした繊細な問題に対し、全体主義体制のイデオロギーを持ち込んで、問題を複雑化させる人々が存在することを閑却すべきではない。

玉城デニー沖縄県知事は五月の定例記者会見で次のように述べた。

「海兵隊が沖縄に駐留しなくても、日米の安全保障体制に支障がないこともあるだろうと考えている」

米軍基地が弱体化することを喜ぶ危険な勢力が国外に存在し、そうした国々こそを理想の国だとみなす人々が国内に存在しているのが現実だ。彼らにとって一番邪魔な存在が日米同盟であり、沖縄に存在する米軍基地なのだ。彼らに迎合するために、日本の国益を毀損（きそん）するようなことがあってはならない。

［初出］「米軍基地は邪魔：日本政府との闘争あおる主体思想」
（『正論』二〇一九年八月号）

旧統一教会・韓鶴子にナメられた岸田首相

●「岸田をここに呼びつけて、教育を受けさせなさい！」

随分と久々に見た顔だと思ったが、別人だった。かつて一世を風靡（ふうび）し、毎日のようにテレビに出演していた占い師・細木数子がニュースになっていると勘違いしてしまった。テレビに映っていたのは、細木数子ではなかった。世界平和統一家庭連合（旧統一教会、以下、統一教会）の総裁、韓鶴子だった。その傲岸不遜な態度、高圧的な語り方、宗教的な恫喝。まるで細木数子を彷彿（ほうふつ）とさせた。

韓鶴子が統一教会の聖地とされる韓国の清平に幹部を集め、獅子吼した様子を日本のマスメディアが報じた。

FNNでは、韓鶴子のものと思われる発言を次のように報じている。

「分かっているのは、日本は第二次世界大戦の戦犯国だということ。犯罪の国なのよ。ならば賠償すべきでしょ、被害を与えた国に」

「今の日本の政治家たちは、我々に対して何たる仕打ちなの。家庭連合を追い詰めているじゃない。私を救世主だと理解できない罪は許さないと言ったのに。その道に向かっている日本の政治はどうなると思う？　滅びるしかないわよね！」

「政治家たち、岸田をここに呼びつけて、教育を受けさせなさい！　分かっているわね！」

日本は犯罪国家であり、韓鶴子が救世主であることを理解できなければ日本政治は滅びる。それゆえに、岸田総理を韓国に呼びつけて教育を受けさせる必要がある。――。信者にとっては常識的な発言なのかもしれない。だが、統一教会を信仰しない者にとっては理解に苦しむ不愉快な発言、あるいはあまりに突拍子もなく失笑してしまいかねない発言だ。細木数子の「地獄に落ちるわよ！」と韓鶴子の「滅びるしかないわよね！」があまりにも似ている。

●日本人から収奪してよいとする歴史観

倨傲(きょごう)なだけでなく、反日的なところにも韓鶴子の発言の特徴がある。これは細木数子の占いには感じることがなかった部分である。反日主義的な発言の根底にある思想は韓鶴子個人の特異な歴史観によるものではない。韓国における一般的な反日的な歴史認識、そしてそこに統一教会の教えが混淆(こんこう)された統一教会独自の反日史観が出来上がっている。それを鶴子は語っている。

韓国における一般的な歴史認識とは、次のようなものだ。「日帝支配」三十六年の間に朝鮮半島は日本に一方的に搾取された。さらに朝鮮戦争で韓国は「反共の砦(とりで)」として戦ったが、多くの若者は死に、国土は荒廃し、経済は疲弊しきった。一方、日本は朝鮮戦争の特需によって経済成長を遂げた。敗戦後の焼け野原から立ち直り、見事な経済復興への道を開いた。したがって、日本が憎い。朝鮮戦争を奇貨(きか)として立ち直った日本は瀕死の韓国に資金提供すべきである。

統一教会の歴史観も、こうした韓国人の歴史観を反映している。

一九八四年七月号の『文藝春秋』には、かつて統一教会の幹部であったが、路線対立により排除された二人が寄稿した。副島嘉和、井上博明の衝撃的なレポート「これが『統一教会』の秘部だ」である。ここには次のように記されている。

〈日本の復興は朝鮮戦争の特需によるもので、韓国・朝鮮人の犠牲のうえに日本の繁栄が成り立っているという理屈である。だから、教祖は、日本から莫大な金額を持ち出すことも、そのために日本人会員が苦吟することにも、良心の呵責を感じないと断言している。〉

多くの韓国人が抱いていた歴史観だ。確かに朝鮮戦争の特需によって日本が経済復興を遂げたのは一面の事実である。しかし、これを以て韓国人が日本人から収奪してよい根拠にはならない。

●「エバ国はアダム国に貢ぐのが役割」との教え

さらに統一教会の反日史観には、ここ独自の宗教的な意味合いが加えられる。

その意味を説明する前に、統一教会の成立時期と国際情勢を押さえておく必要があると説くのが元公安調査庁第2部長だった菅沼光弘氏だ。彼は『「統一教会」問題　本当の核心』（秀和システム）の中で、興味深い指摘をしている。

文鮮明によって統一教会が立ち上げられるのが一九五四年五月だ。朝鮮戦争の休戦協定が締結された一九五三年の翌年に当たる。この頃、アメリカが憂慮していたのが韓国国内で反米意識が極めて高かったことだ。このままでは容共路線を国民が支持する恐れがある。そこで、この反米意識を反日意識に転嫁させよう、さらに、韓国をキリスト教国家に変換しようとアメリカが試みたというのである。こうした流れの中で現れたのが、統一教会だった。

統一教会の教えの一つに「韓国はアダム国であり、日本はエバ国である。エバ国はアダム国に貢ぐのが役割だ」との教えがあるという。これは旧約聖書にある有名なアダムとイブの失楽園の話である。統一教会はこの失楽園の話を重視する。アダムを堕落させたのがエバ（イブ）なのだから、エバがアダムに仕えるのは当然であると捉え、さらにそれを国家に当てはめたのである。

なぜ、日本が「エバ国」扱いされなければならないのか。文藝春秋編『統一教会　何が問題なのか』（文春新書）での指摘をまとめれば、次のようになる。

日本は代々、キリスト教における唯一神ではなく、天照大神（あまてらすおおみかみ）を崇拝してきた。そして、日韓併合時代に韓国のキリスト教を苛酷に迫害した国である。従って、サタン(悪魔)側の国家であった。従って、戦前の日本は「サタン側のエバ国」であったが、戦後の日本は「神側のエバ国」になったのだという。分かったような、分からないような説明である。

しかしながら、理解できるのは統一教会の反日的歴史認識だ。日本は歴史的に朝鮮半島から収奪したのみならず、朝鮮半島で必死に戦っている際に奇跡の経済復興を遂げた。こうして得た富を韓国に上納するのは当然だ。なぜなら、韓国はアダム国であり、日本はエバ国なのだから——。それが統一教会の対日認識ということになる。

●天皇陛下の〝身代わり〟が教祖一族に拝跪

これだけでも噴飯物というべき歴史観なのだが、私がさらに驚いたのは前出告発レポートで暴露されていた、統一教会の記念日に行われる「敬礼式」という儀式だ。この儀式では聖壇に座った教祖とその家族に対し、統一教会の幹部が各国の元首の身代わりとして教祖一族に拝跪(はいき)するというのだ。すなわち、日本の天皇陛下の身代わりを統一教会の幹部が務め、教祖一族に恭(うやうや)しく拝むのだ。もちろん、信教の自由は認められるが、皇室を敬愛する一国民としては納得できない儀式であると言わざるをえない。

なぜ、これだけ反日的歴史観を持ち、皇室に対する敬意に欠ける統一教会と自民党との関係が深かったのか。

これもまた当時の国際情勢を押さえておく必要がある。韓国が容共化することをアメリカは恐れていたが、一九六〇年の安保改定の際の過激な学生運動の盛り上がりを見て、日本が共産化することも恐れた。それは安保改定に尽力した岸信介も同様であった。統一教会を軸として国際勝共連合を利用しようと試みた。すなわち、彼らの力を利用して容共的な世論を反共的な世論へと誘導しようとしたのだ。

カール・シュミットは『政治的なものの概念』において、政治において重要な指標は「友」と「敵」であると指摘した。すなわち、思うところ、目指すべきところは全く異なれども、当面の敵の敵は味方となりうるのが政治の世界なのだ。岸信介は冷徹で合理的な判断から統一教会を利用しようと考えたはずだ。それは逆もまた然り(しか)であり、統一教会もまた自民党、あるいは日本における保守系政治家を利用しようと考えたはずである。反共という一点において両社の利害関係が一致したと捉えるべきだろう。

●文鮮明は「メシア」、韓鶴子は「子羊」

現在は救世主を名乗る韓鶴子だが、彼女は文鮮明にとって三番目の妻である。どのような経緯で文鮮明の妻に選ばれたのか。これを明らかにしているのが、櫻井義秀著『統一教会』(中公新書)である。以下、本書の叙述を元に簡潔に記してみよう。

若き日の文鮮明は「六人のマリアと子羊」との話を語り、実践してきたという。この話を理解するためには、「血分け」（世俗的には性行為）について押さえておく必要がある。メシアの再臨とされる文鮮明が原罪を有する人間と「血分け」することによって汚れた血が浄化されると考えるのだ。これは文鮮明が独自に考案した教義ではなく朝鮮半島の独自のキリスト教集団の中に存在した教義だという。

統一教会では旧約聖書のアダムとイブの物語が次のように解釈されるという。

アダムとイブは夫婦として多くの子孫を残すことを神に期待された。ところが天使長ルーシェルはエバに誘惑され、不倫関係を結んでしまう。この結果、悪の血統がエバからアダム、次いで人類に遺伝することになり、人類は現在を有することになる。神は再臨主としてイエスを送るが、十字架によって失敗する。すなわちイエスは失敗したメシアなのだ。再度、神はメシアを人類に送り、マリアに当たる六人と「血分け」し、次いで「子羊（処女）」を娶って子孫繁殖をなす。

このメシアにあたるのが文鮮明であり、「子羊」にあたるのが韓鶴子だという。当時、四一歳の文鮮明に対し、韓鶴子は一七歳。親子と言ってもよいほど年齢差があるが、韓鶴子が「子羊」だったということなのだろう。韓鶴子は文鮮明との間に一四名の子をもうける。

いずれの宗教もそうだが、熱心に信仰している人々にとっての真実の物語は、信仰せざる者にとっては荒唐無稽な法螺話に聞こえるものだ。私にとっては「六人のマリアと子羊」などという話は意味が分からない。そもそも、私にはキリストの復活という話も信じることが出来ない。死者は復活しないというのが、私の中の常識なのである。だが、信じたい人は信じればよい。それが信教の自由というものだろう。他の誰もが信じることなくとも、その信仰によって他者に危害を加えることがなければ、その信仰は是認されるべきだ。これは、共産主義国家にはない自由主義国家に生きる国民の特権である。

●「家庭」と「愛」の重要性を語る

メシアであるという文鮮明、最近では自ら救世主であると主張する韓鶴子は、いかなる主張を展開しているのだろうか。小論では韓鶴子の主張を紹介してみたい。

彼女は「自由民主主義社会が万能ではない」と説く。

〈経済的平等を主張して出発した共産主義が、かえって経済的に不平等な階級社会をつくり、経済的な破綻からその終焉を迎えたように、自由の理想を叫んで立ち上がった自由民主世界も、やはりその陰で、性道徳の紊乱と暴力、麻薬等、価値観の混乱による社会的破綻の危機を迎えている。〉（韓鶴子『地球家族』泰流社）

韓鶴子が説くように、自由民主主義社会では自由の名のもとに放縦が是認され、虚無的な価値相対主義がまかりとおっている。「なぜ人を殺してはならないのか」などと子供たちが問うた際、親たちは明確に答えることができない。他人に迷惑さえかけなければ何をしても構わないというニヒリズムが跋扈（ばっこ）しているのが現実である。自由と放縦は裏と表の関係であることは否定できない。
こうした状況下において、韓鶴子がその必要性を説くのが「家族」である。家族の重要性、その根源にある「愛」こそが重要だと主張する。
〈歴史的価値の中で最も重要なものは、家庭を中心とした価値観です。（略）家庭こそが平和の根本である。〉（前掲書）
〈このような家庭を創るのに最も重要な要素が真の愛です。真の愛とは愛の中でも神を中心とした絶対的愛のことをいいます。即ち、愛せないものまでも愛するのが真の愛であって、真の愛によると怨讐までも愛さざるを得なくなるのです。〉（前掲書）
〈人間は愛で生まれ、愛の道を行かなければなりません。そして死ぬときも愛のために死ななければなりません。〉（韓鶴子『人間の行く生涯路程』光言社）
宗教家である韓鶴子が繰り返し説くのは「家庭」の重要性であり、「愛」の重要性だ。

●あまりに身勝手な夫婦と残虐で放埒な息子

私は、こうした教えが間違っているとは思わない。

ただし、実際に文鮮明、韓鶴子の夫婦がどのような家族を築いたのかには興味がある。それほど理想的、模範的な家庭であったのだろうか。

疑問を抱くのは、一冊の告発本を読んだからだ。その著作は洪蘭淑著『わが父　文鮮明の正体』（文藝春秋）。著者の洪蘭淑は、文鮮明、韓鶴子の長男である文孝進の妻となり、後に離婚した。夫一九歳、妻一五歳という異常に若い夫婦であった。一五歳の少女であった著者が、文鮮明・韓鶴子の家族の一員として、どのような経験をしたかを赤裸々に綴った一冊だ。

一九歳から二一歳までの三年間、統一教会の信者であった年長の友人が統一教会を離れることになった一冊だと教えてくれた著作でもある。一読し、熱心な信者であった彼が受けた衝撃とはどれほどであったかと思わずにはいられなかった。

以下、この著作の内容を簡潔に紹介しよう。

文鮮明、韓鶴子の長男である文孝進は世にいう不良に他ならなかった。統一教会では飲酒、喫煙は禁止されてきた。だが、孝進は飲酒、喫煙だけでなく、麻薬にも手を染めていた。ある時、洪蘭淑が孝進に連れられてバーに行った。そこで孝進が飲酒、喫煙をする様子をまざまざと見て、敬虔な統一教会の信者であった洪蘭淑は衝撃を受ける。動揺している洪蘭淑を、孝進は「座を白けさせる奴だ」と非難し始める。結局、洪蘭淑は家に連れ戻される。

翌日、洪蘭淑は韓鶴子に呼び出される。前夜の出来事を泣きながら語ると鶴子は怒り出す。しかし、怒りの対象は孝進ではなく、洪蘭淑だった。

「おまえはばかな娘だ。自分がなんのためにアメリカに連れてこられたと思っているのだ？孝進を変えるのがおまえの役目なのだ。おまえは神と文鮮明を失望させた。孝進が家にいたいかどうかは、お前次第だ」

洪蘭淑が身ごもり、母となる直前、夫の孝進は韓国から自分のガールフレンドを呼び寄せ、自宅とは別のアパートで生活を始めた。このとき、洪蘭淑は文鮮明・韓鶴子夫妻から呼び出される。

このとき激怒したのは文鮮明だった。

「おまえは、どうしてこんなことが起こるままにしていたのか？　孝進からこれほど嫌われるとは、おまえはなにをしたのか？　おまえはなぜ孝進を幸せにできないのか？」

「おまえは妻として失敗した。おまえは女として失敗した。孝進がおまえを捨てたのはおまえ自身の過ちだ」

あまりに身勝手な文鮮明・韓鶴子夫婦、そしてあまりに残虐で放埓(ほうらつ)な文孝進の姿が赤裸々に描かれているのが、本書の特徴である。もちろん、これは洪蘭淑の手記であり、その主張は一方的なものであると言えるかもしれない。しかし、全編にわたって虚偽が書かれているとは思えなかったというのが、私の感想である。

●ここまで反日的で独善的な宗教を信じる気はない

昨年来、私は常軌を逸した統一教会バッシング、その信者へのバッシングを厳しく批判してきた。統一教会にせよ、他の宗教にせよ、信教の自由がある。そして、彼らが政治に対して物申す権利もある。自由民主主義社会なのだから当然のことだ。統一教会の信者であるという一点で、その人の人格が全面的に否定されてはならない。その人の権利も十全に保証されるべきである。その思いは今も変わらない。統一教会信者と僅かでも関わりを持った政治家を全面的に否定するべきでもない。現代の魔女狩りのようなことは、厳に慎むべきである。

しかしながら、私個人の思いを率直に吐露させてもらおう。ここまで反日的で独善的な宗教を信じる気はない。この一言に尽きる。

［初出］「『岸田を呼びつけなさい』旧統一教会・韓鶴子にナメられた岸田首相」（『月刊ウイル』二〇二三年九月号）

第四章 「表現の自由」「内心の自由」におけるダブル・スタンダード

『朝日新聞』流「表現の自由」の欺瞞

「表現の自由」はどこまで認められるべきか？　それは無制限な自由なのか、何らかの制限が加えられるべき自由なのか？

●「表現の不自由展・その後」を巡る議論の本質

愛知トリエンナーレ「表現の不自由展・その後」を巡る議論の本質はここにある。「表現の自由」に関する考察に入る前に、事実関係の整理から始めることにしよう。

八月三日、「表現の不自由展・その後」の中止が決定された。慰安婦を表現したという少女像が展示され、大きな注目を集めていたが、さらに驚くような「作品」も存在した。昭和天皇の顔写真に火をつけ、バーナーで燃やし尽くし、その灰をハイヒールで踏みにじるという「作品」が展示されていたのである。その他にも特攻隊員が寄せ書きした日の丸を貼りつけ、「間抜けな日本人の墓」と題した「作品」も置かれていたという。

会場を視察した河村たかし名古屋市長は慰安婦像を「日本国民の心を踏みにじるもの」として、大村秀章・愛知県知事宛てに少女像などの撤去を求める要請書を提出した。

これらの展示内容に関して抗議が殺到し、中にはテロをほのめかす内容のＦＡＸまでもが送りつけられ、「表現の不自由展・その後」は中止に至った。

中止を発表した大村知事は、次のように述べた。

「テロ予告や脅迫の電話等もあり、総合的に判断した。撤去をしなければガソリン携行缶を持ってお邪魔するというＦＡＸもあった」

一方、芸術監督を務めた津田大介氏は次のように述べた。

「リスクの想定、必要な対応は識者にも話を聞いてきたが、想定を超える事態が起こったことを謝罪する。僕の責任であります」

全国紙を調査してみたが、最も熱心にこの問題を報道していたのが『朝日新聞』であった。八月四日には一面で表現の不自由展の中止を報道し、二面の「時時刻刻」ではこの問題を大々的に取り扱い、二人の学者のコメントを掲載している。

〈政治家が展示内容について中止を求め、補助金について「精査する」とチェックを入れるなど、今回は、広い意味で表現の自由の侵害や、検閲的な行為があったといえる。非常に問題だ。〉（上智大学元教授・田島泰彦氏）

〈今回の中止決定はきわめて残念だ。表現の自由は、表現の内容をいやがる人たちの意向で中断されることがあってはならない。〉（早稲田大学名誉教授・戸部江二氏）

政治家の圧力によって「表現の自由」が奪われたのは問題であるとの認識が示されるばかりで、「表現の自由」はどこまで認められるべきなのかという議論は見られないのが特徴である。

『朝日新聞』は八月四日の「天声人語」でも、次のように主張している。

〈物議をかもした作品を改めて世に問うという狙いが込められていた。趣旨には賛意を表したい。75日間公開されるはずだったのに、わずか3日で閉じられたのは残念でならない。ある時は官憲による検閲や批判、ある時は抗議や脅し。表現の自由はあっけなく後退してしまう。価値観の違いを実感させ、議論を生みだす芸術作品は、私たちがいま何より大切にすべきものではないか。〉


天皇陛下の顔写真を燃やすような「芸術作品」が物議を醸(かも)すのは当然だと思うが、そうした作品を「改めて世に問う」という「趣旨には賛意を表したい」とのことだ。ここでも強調されているのが「表現の自由」であることに注目しておきたい。


さらに、八月六日の「あいち企画展　中止招いた社会の病理」と題した「社説」でも次のように説かれている。

〈人々が意見をぶつけ合い、社会をより良いものにしていく。その営みを根底で支える「表現の自由」が大きく傷つけられた。〉

〈一連の事態は、社会がまさに「不自由」で息苦しい状態になってきていることを、目に見える形で突きつけた。病理に向き合い、表現の自由を抑圧するような動きには異を唱え続ける。そうすることで同様の事態を繰り返させない力としたい。〉

『朝日新聞』は「表現の自由」が侵されたことを繰り返し、繰り返し強調し、それを日本社会の病理だとまで主張する。だが、見方を変えれば、憲法で「日本国の象徴であり日本国民統合の象徴」と定められた天皇陛下の顔写真を燃やす作品を「芸術」だと言い張ることのほうに病理を感じることは出来ないだろうか。テロを予告したような卑劣な犯行を擁護することは全くできないが、怒りを感じた人々が抗議の声を上げたことは理解できる。仮に私がこのような「作品」なるものを何も知らずに鑑賞していたら、驚き、呆れ、そして激怒していたであろうと想像する。大東亜戦争の敗戦以後、つねに国民とともに歩まれた昭和天皇を敬愛する日本国民は圧倒的多数であろうし、国民の象徴を侮辱（ぶじょく）されて怒るのも日本国民として当然の感情であろう。

●芸術監督とアドバイザーの対談で明かされた本音

さらに驚くのは、芸術監督を務めている津田大介氏とアドバイザーを務めていた東浩紀氏による対談だ。「あいちトリエンナーレ2019が始まってもないのに話題沸騰してるけど、その裏側を語る」との動画の一部であり、ここに彼らの本音が表されている。重要な部分だけ抜粋したい。

津田：公立美術館で撤去されたものを、「表現の不自由展」という展覧会を持ってくる体（てい）にして全部展示してやろうという、そういう企画で。おそらくみんな全然気づいてないけど、これが一番やばい企画なんですよ。おそらく、政治的に。

東：やっぱり……天皇が燃えたりしてるんですか？　天皇制にはどんなお考えですか？

津田：まあ天皇というのは一つタブーになって撤去されるという事例があって、それは広く知られているので、それはこの展覧会でもモチーフになる可能性は、あります。

東：えーっ！　こんな令和でめでたい時に？

津田：令和の今だからこそ、違った意味を感じ取れるとも思うんです。

東：人々は新しい元号ですごく前向きな気持ちになってるときに、税金でそういう……やるのはどうなんですかねえ？

津田：二代前じゃん。二代前になると人々の記憶も、二代前だし、歴史上の人物かな、みたいな。そういう捉え方もね。

津田氏の発言の中で見逃すことが出来ないのは「『表現の不自由展』という展覧会を持ってくる体にして全部展示してやろう」との発言だ。「体にして」ということは、芸術作品の展示という体裁を整えて、他の目的を実現してやろうということだ。その目的とは、天皇陛下の写真を燃やすところを展示したいということだろう。天皇が「展覧会でもモチーフになる可能性は、あります」と言っているのだから、慰安婦像ではなく、燃やされる天皇を展示することこそが彼らの目的であったと推定できる。また、この対談で明らかなのは、津田氏がこの展示が極めて政治的な展示であることを誰よりも深く認識している点だ。天皇の写真を燃やす展示が政治的に「やばい企画」であることを十分に知っているのだ。

こうした日本国民を冒涜するかのような「表現の自由」など許されるべきなのか。やはり我々は、根底から「表現の自由」とはどこまで許されるべきなのかを問わねばならない。

真剣に考えてみれば、「表現の自由」は絶対的に、全面的に無条件に擁護される自由ではない。

例えば、京都アニメーション事件の犯人を賞讃したり、地下鉄サリン事件そのものを礼賛したりするような内容、ヒトラーのユダヤ人虐殺を肯定するような内容、そしてシャルリエブド事件で問題となった宗教者を侮辱する内容、一民族の虐殺を呼びかけるような内容は、その「表現の自由」が絶対的なものとは言えない。

●ミルが『自由論』で説いた「危害原理」とは

いったい、どこまでが「表現の自由」として認められるべきなのか。それが問題である。

表現の自由の限界について考える際、古典となっているのがミルの『自由論』である。ミルは各人の自由が干渉されるのは、次の場合に限ると表明している。

〈人類がその成員のいずれか一人の行動の自由に、個人的にせよ集団的にせよ、干渉するこ

とが、むしろ正統な根拠をもつとされる唯一の目的は、自己防衛である。〉

干渉されずに放置されていた場合、誰かが危害を被る場合にのみ、自由は制限されるというのがミルの考え方だ。こうした原理原則を「危害原理」と呼ぶ。ミルが自由を最大限尊重すべきだと考えるのは、ある時期に異常で常識的ではないとされる意見があったとしても、後になれば、大多数の人間が間違っていたという可能性も否定できないからである。また、ある見解に異論が唱えられることは、ある見解を再検討することにも繋がり、結果として思想的に鍛えられることにもなるからだ。ミルは人間が間違える存在であることを深く認識し、様々な見解が自由に表明されることが結果として人類の幸福に寄与すると考えていたのである。自由を最大限尊重するミルにとって、「危害原理」のみが、他者の自由に制限を加える根拠となったのである。

仮に「危害原理」のみが他者の自由に容喙する根拠となるというのであれば、「表現の自由」はほぼ無制限で認められることになるだろう。「お前を殺す」「お前の家にガソリンをばら撒く」等々の表現は、相手に危害を与えることを目的としているから認められないが、昭和天皇の顔写真を燃やしたり、シャルリエブドのようにムハンマドを揶揄したりすることは否定されないということになる。

アメリカでもアンドレス・セラーノという芸術家が、十字架に架けられたキリスト像に自身の尿を浴びせ、その様子を写真に収めて『ピス・クライスト』との「作品」だと主張したことがあった。この「作品」に対して、上院議員ジェシー・ヘルムズが上院で次のように主張した。

〈アンドレス・セラーノ氏と面識はないが、願わくば会いたくないね。彼はアーティストではなく大ばかものだから……勝手にばかをやっていればいい。しかし我々の神を侮辱するのは許せん。〉（ネイトー・トンプソン『文化戦争』春秋社）

多くの人々が信仰する宗教の象徴や国民の象徴に対する侮辱であっても、ミルの「危害原理」に基づけば表現の自由として認められることになる。したがって、ミルの危害原理を尊重するナイジェル・ウォーバートンは次のように主張している。

〈創造的な芸術家およびその他の人々は、キリスト教徒、イスラム教徒、シーク教徒その他広範な宗教的感情のまわりをつま先立って忍び足で歩くべきだ、あるいは宗教的信念はきわめて神聖なものと考えられるべきであり批判を免れるべきだという提案は、開かれた民主主義社会においては許容できない。寛容の精神は侮辱を惹き起こすことの禁止を含むべきではない。〉（『「表現の自由」入門』岩波書店）

確かに危害原理は一貫した原理であり、それなりに説得力を持つ。しかしながら、危害さえ加えなければ、何を言っても許されるというのは、人々の名誉を著しく傷つけることを容認することにも繋がりうるであろう。ウォーバートンのように表現の自由を守るために「寛容の精神は侮辱を惹き起こすことの禁止を含むべきではない」と断言するのならば、その立場は一貫している。

●ヘイトスピーチに対する法規制を設けている国々

だが、多くの国や地域で完全な「表現の自由」が認められているわけではないことも理解しておく必要がある。

例えば、ヘイトスピーチの問題を検討してみたい。ヘイトスピーチとは、特定の民族や宗教を信仰する人々を一括りにしてスティグマ(汚名)を押しつけるような言説を指す。誤解している人々も多いようだが、ヘイトスピーチと批判は異なる。「日本人は残虐な民族だ」「朝鮮人は劣等な民族だ」「中国人は嘘つきだ」といった類の、一民族を全て等しく非難するような類の中傷がヘイトスピーチなのであり、「韓国の文政権の行動は異常だ」「日本人の中にもおかしな人がいる」等々の批判はヘイトスピーチとは呼ばない。

弁護士の師岡康子氏が『ヘイトスピーチとは何か』(岩波新書)で詳述しているように、

世界の各国ではヘイトスピーチに対する法規制が行われている。イギリス、ドイツ、カナダ、オーストラリアでは、それぞれがヘイトスピーチに対する法規制を設けている。確かに、これらは全面的な「表現の自由」を奪う規制である。だが、それでもなお法規制が設けられているのは、放置しておけば「表現の自由」の名の下に名誉が著しく傷つけられる人々を守ろうとするからであろう。例えば、カナダではカナダ人権法が定められ、人種、肌の色、出身国、宗教、婚姻関係の有無、子供の有無等々で差別的な表現をすることが禁じられている。仮に差別的な表現があった場合には、人権委員会に申し立て、調停が成立しない場合には人権審判所に付託される。場合によっては罰金刑に処せられるのだ。全面的な「表現の自由」を禁じているのがカナダの現実だと言ってよい。

「表現の自由」に関する師岡康子氏の次の指摘は重要だ。

〈他者の人権を侵害するような表現は、表現の自由の濫用であり、許されない。〉（『ヘイトスピーチとは何か』岩波新書）

これに対して、あくまでミルの「危害原理」を重視するウォーバートンは、ヘイトスピーチであってもそれが「危害原理」に該当しない場合は、認められるべきだと説き、ケネン・マリックの次の言葉を紹介している。

〈差別主義者以外のすべての者に言論の自由を、というのは言論の自由ではない。リベラルの正統派教義に違反する権利は、宗教的ドグマを冒瀆する権利や反動的伝統に挑戦する権利と同じくらい重要である。〉

こちらはこちらで、一貫していると言ってよいだろう。

●『朝日新聞』の「表現の自由」論は二重基準

さて、「日本国の象徴であり日本国民統合の象徴」である天皇陛下の顔写真を燃やすという作品までも表現の自由として認めよという『朝日新聞』は、このヘイトスピーチについて、いかなる見解を有しているのだろうか。

気になって調べてみると、実に興味深い社説が幾つも存在した。

『朝日新聞』がヘイトスピーチに関して社説で論じ始めたのは、二〇一三年からだ。まずは、その社説の重要箇所を抜粋してみよう。

〈日本も加盟する人種差別撤廃条約の中には、ヘイトスピーチを法律で禁じるよう求める条文もある。実際、ドイツなど多くの欧州の国には、ヘイトスピーチを処罰する規定がある。

ただ、日本政府はこの条文について保留している。表現の自由との関係があるからだ。〉

〈憎悪表現のスピーチを規制する法は表現の自由への諸刃の剣となりかねず、憲法学者の中でも消極的な見解が多いという。〉

（二〇一三年五月二十三日社説「ヘイトスピーチ　憎悪の言葉であおるな」）

〈日本は人種差別撤廃条約に加盟しており、条約はヘイトスピーチを禁じる法整備を求める。そのため、日本でも立法を急ぐべきだとの指摘が出る一方で、表現の自由が脅かされることを懸念して慎重論も根強い。〉

（二〇一三年九月二十五日「反差別デモ　ふつうの感覚を大切に」）


当初、『朝日新聞』は「表現の自由」を守る立場から、ヘイトスピーチを規制する法案に対して、極めて慎重な姿勢を示していた。昭和天皇の顔写真を燃やすことまで「表現の自由」に含まれると解釈している新聞社なのだから、表現の自由を規制することに関して慎重なのは当然だとも言えよう。欧州各国でヘイトスピーチに関する規制法が存在することを十分に認識しながらも、「表現の自由」を尊重する姿勢を示していた。

しかしながら、徐々に論調が変化し始める。少し、論調が変わり始めたと感じさせるのが、二〇一六年一月十八日の社説だ。この社説は大阪市でヘイトスピーチを抑止する条例が成立したことを受けての主張である。

〈表現の自由との兼ね合いから、努めて抑制的に運用されるべきだが、条例があること自体がヘイトスピーチの抑止につながれば望ましい。〉

（二〇一六年一月十八日「ヘイト条例　大阪から議論加速を」）

「表現の自由」が規制されることへの懸念を表しつつも、ヘイトスピーチを抑止する条例が出来たことを歓迎する内容だ。法規制ではなく、条例の段階ではあるが、「慎重な議論」を求めるという姿勢から一歩踏み込んだ印象を受ける。

『朝日新聞』がある種の「表現の自由」を制約するヘイトスピーチ禁止法に賛成し始めるのは、この数カ月後からである。二つの社説をご覧いただきたい。

〈少数派を標的に「日本から出ていけ」といった差別をあおる言説は各地でみられる。人権侵害をもはや放置するわけにはいかない。何らかの立法措置も必要な段階に至ったと考える。〉

（二〇一六年四月二十七日「ヘイト法案　反差別の姿勢を明確に」）

〈ヘイトスピーチ対策の立法をめぐっては、「表現の自由」とのかねあいから、慎重な対応を求める指摘があるのも事実だ。しかし、法務省の試算で、昨年1年間にあったヘイトスピーチのデモや街宣は約250件にのぼるなど、見過ごすわけにはいかない状況が続いている。〉
（二〇一六年五月二十五日「ヘイト対策法　差別許さぬ意識こそ」）

『朝日新聞』は二〇一六年の四月を境に、ヘイトスピーチに対する立法措置が必要だとの判断を下し、あらゆる形での「表現の自由」が認められるわけではないと説き始めた。差別に苦しんでいる人々を救うためには表現の自由が規制されても止むを得ないとの判断だろう。では、いったい『朝日新聞』は「表現の自由」について、いかに解釈しているのだろうか。この問題を考える際に参考になるのが次の社説だ。

〈差別的言動をする人々は、表現の自由を持ち出して行動を正当化してきた。憲法が保障する大切な基本的人権のひとつで、権力が安易にこれを規制するのはもちろん認められない。しかし表現の自由とは、個人が表現・言論活動を通じて人格を発展させ、互いに意見をかわすことによって、より良い民主社会を築くためにある。在日外国人らに聞くに堪（た）えない罵声をあびせ、その存在を根底から否定するような行為は、憲法がめざすところの対極にある。〉
（二〇一六年六月四日「ヘイト禁止『点』を『面』に広げよう」）

『朝日新聞』独自の「表現の自由」に関する解釈だと言ってよいだろう。権力が安易に規制することは批判しながらも、表現の自由は無制限なものではないと説いている。表現の自由とは「人格を発展させ、互いに意見をかわすことによって、より良い民主社会を築くためにある」という。

翻って、表現の不自由展について考え直したい。昭和天皇の顔写真をバーナーで燃やし、その灰をハイヒールで踏みにじる行為は表現の自由に値するのか。ミルの「危害原理」のみを表現の自由に対する制約とする立場に立つならば、それは表現の自由に値すると言ってよいだろう。だが、この作品なるものが「人格を発展させ」るものとは到底解釈できないし、日本国民の象徴を燃やす行為が、誰かとの意見を交わすことにも繋がらないはずだ。そして、日本という民主主義国家の象徴を燃やし、踏みにじる行為が「より良い民主社会を築く」ために為されたとは思えない。

「在日外国人らに聞くに堪えない罵声をあびせ、その存在を根底から否定するような行為は、憲法がめざすところの対極にある」と言うならば、敢えて言いたい。「我が国の象徴である天皇陛下を見るに堪えない形で侮辱し、その存在を根底から否定するような行為は、憲法がめざすところの対極にある」。

結局、『朝日新聞』の「表現の自由」に関する基準とは、二重基準に他ならないのだ。在日外国人に対する脅迫めいた言辞や侮蔑に対しては、表現の自由に値しないと説き、一方で、我が国の象徴である天皇陛下や特攻隊に対する脅迫じみた行為や侮辱に対しては表現の自由の範囲内だと説くのだ。

●「右派の自由は奪え、左派の自由は守れ」

いったい、この二重基準を支える精神構造とはいかなるものなのだろうか。「危害原理」に該当しない限り、あらゆる表現の自由を許すべきであるというのは、一つの態度であり、私は容認できないが、立場として理解できる。また、表現の自由には制限が加えられて然るべきだという立場も理解できる。しかしながら、『朝日新聞』はこうした立場を状況に応じて使い分けようというのである。

傍目から見ていると到底理解できない論理だが、こうした論理を公然と主張した哲学者が存在していたことを紹介しておきたい。その哲学者の名をハーバート・マルクーゼという。ドイツのフランクフルト学派の一人で、ナチスドイツからの迫害を恐れてアメリカにわたったユダヤ人学者である。

代表的な著作として『エロス的文明』(紀伊国屋書店)が挙げられることが多い。マルクーゼは学生運動に大きな影響与えた哲学者としても有名である。

『朝日新聞』の倒錯した二重基準を擁護するかのような論理を展開したのは、『純粋寛容批判』

（せりか書房）に収められた「抑圧的寛容」という論文である。

マルクーゼに従えば、全ての人々に対して寛容であるべきという「純粋寛容」は、現代において、批判されるべきだという。なぜなら、現代社会では、暴力と抑圧が教育や広告、宣伝等々の手段によって正当化されており、人民がある種の洗脳された状態に置かれているからだ。洗脳された状態においては、人々は自分たちが暴力と抑圧の最中にあることが認識できず、あたかもそれが正常な状態であるかのように思い込まされている。こうした状態において、寛容とは、他に取るべき道（＝革命）を抑圧するための手段になってしまっている。こうした「虚偽の寛容」ではなく、「解放的寛容」こそが求められていると説き、恐るべき主張を展開し始める。

〈退行的なものの抑圧は進歩的なものの強化のための必要条件である。〉

要するに、進歩的な勢力に歯向かう退行的な勢力を抑圧することこそが、進歩的な勢力を拡大する条件であると言い、具体的には次のように指摘している。

〈解放的寛容な、したがって、「右翼」からの運動にたいする非寛容を、「左翼」からの運動にたいする寛容を意味するだろう。この寛容と非寛容の範囲について言えば、……それは討論や宣伝の段階のみならず行動の段階にまで、言葉のみならず実行の段階にまで拡がるだろう。〉

〈侵略戦争、軍備、排外主義、人種と宗教による差別を助長する団体や運動から、あるいは、公共事業、社会保障、医療保護等の拡大に反対する団体や運動から、言論や集会に対する寛容を撤回することを含む。〉

右派に対して非寛容であり、左派に対して寛容であること。これこそが「解放的寛容」だというのだ。論理とも言えない無茶苦茶な主張だが、マルクーゼは大まじめにこうした議論を展開しているのだ。

では、いったい誰が、右派や左派と認め、その自由を与えたり、奪ったり判断するのか。それについてもマルクーゼは真面目に主張している。

〈だれが社会全体のためにこのようなすべての区別、限定、検証をする資格があるかという問いは、今や一つの論理的解答を得ている。すなわち、それは人間として「能力の熟している」すべての人びと、合理的かつ自律的に思考するようになっているすべての人びとである。〉

「論理的解答」とは大仰（おおぎょう）だが、要するに、ここでいう「人間として『能力の熟している』すべての人びと」とは、合理的かつ自律的に思考するようになっているすべての人びと」とは、進歩的で「リベラル」な人々と言ってよいだろう。左派に自由を与え、右派からは自由を奪え。

それこそが「解放的寛容」なのだと説く狂気の哲学者こそがマルクーゼに他ならないのである。

この論理を日本に当てはめてみたら、どうなるだろうか？

かつて一橋大学の大学祭で保守派の作家と目される百田尚樹氏の講演が、急遽中止に追い込まれた事件があった。私は百田氏の著作の熱心な愛読者というわけではないが、この事件に強い憤りを感じた一人である。作家の言論の自由が奪われることに対して、表現の自由を尊重するすべての人びとが立ち上がるべきであると感じた。しかし、この事件に関して「リベラル」、左派は沈黙を守った。表現の自由を奪うのは当然だと言わんばかりの議論も散見された。

一方、今回の事件のように天皇陛下の顔写真を燃やしたり、特攻隊の方々を揶揄するような表現の自由が奪われると大いに騒ぎ立てる。

『朝日新聞』や「リベラル」を自称する面々が、マルクーゼを熟読しているとは思えない。彼らの知的水準は、そこまで高くない。だが、「右派の自由は奪え、左派の自由は守れ」というマルクーゼのテーゼが脳内で鳴り響いているのではないか。

［初出］「朝日流『表現の自由』をコテンパン」（『月刊ウイル』二〇一九年十月号）

E・トッド氏の「核発言封じ」

●オールドメディアの断末魔の叫び

断末魔の叫びとは、このようなものなのだろうか。ある種の凄味があった。テロリストが安倍晋三元総理を殺害した。明白な事実である。殺害した者が犯罪者であり、殺された者が被害者である。具体的に言うならば、山上某が犯罪者であり、安倍元総理が被害者である。誰も疑いようのない事実である。

だが、マスメディアの偏向報道とは恐ろしい。統一教会の集会に安倍元総理がメッセージを送っていたことを異常に強調し、山上某の家族が統一教会に搾取されたと繰り返した。たしかに、霊感商法など許し難い犯罪があったのは事実である。だが、この報道の結果、まるで安倍元総理が加害者であり、山上某が被害者であるかのような言説が垂れ流された。狂っている。異常な光景としか言いようがない。殺害は殺害であり、詐欺商法は詐欺商法である。決して混同すべきではない。こうした事態は民主主義の危機であると言わざるを得ない。

安倍元総理は暗殺された。民主主義の根幹である選挙中、総理大臣まで務めた政治家が突然殺害されたのだ。誰がどう考えてみても、民主主義の原点は選挙である。選挙を否定する民主主義などあり得ない。政治家が自ら信じ、目指すべきことを国民に説得する。大衆の中に入り、火の玉になって、自らの思うところを説く。

「聴衆を決して侮ってはならない」

それが田中角栄元総理の教えだった。田中角栄の秘書であった早坂茂三がそう記している。実体験に基づいた叙述であろう。大衆は時に愚かである。だが、大衆を説得できない政治家など、民主主義社会において不要である。

世界各国から、安倍元総理が果たした役割、目指した理念について、称賛の声が寄せられた。外交、安全保障、国家観……。過去のいかなる総理と比べても偉大であるとしか表せない。世界的規模で眺めれば、これほど日本の国益、自由民主主義社会の擁護のために闘った政治家は存在しない。しかし、『朝日新聞』をはじめとするオールドメディアは、おかしな方向に世論を誘導してやまなかった。

詭弁を弄して、「安倍元総理さえ批判すればいい」「自民党を批判できるなら何をしても構わない」といった論理に、オールドメディアは狂奔していなかったか。

民主主義の根幹である選挙を冒瀆したテロリストこそが非難されるべきだ。これほど異常な偏向報道は許されるべきではない。

だが、これも冒頭に記したようにオールドメディアの断末魔の叫びではなかっただろうか。オールドメディアの醜悪さについては、他ならぬテレビ朝日の玉川徹氏が自爆的な形で暴露した。

●「ネトウヨ」と「テレサヨ」

「テレビを見るとバカになる」

幼年期に親からもらったアドバイスだった。わが家では、基本的にテレビは見なかった。両親がテレビを子供たちに見せなかったと言ったほうが正確だろう。テレビを見せてくれない両親に怒ったりもしたが、テレビをほぼ見なかったことで、わずかながらも知性が保てていると今では感謝している。たしかにテレビは見ないほうが良い。

菅義偉前総理が、安倍晋三元総理の国葬で素晴らしい弔辞を読み上げた。名文だった。常識的な日本人の心に響くものがあった。菅氏は雄弁ではない。訥々とした話し方で、時にもう少し雄弁であってほしいと思わせるような話し方でもある。だが、技術は情熱に負ける。安倍氏への熱い想いが伝わってきた。聞いていて涙が込み上げてきた。冒頭の「七月八日のことでした」が素晴らしかった。「同じ空気を吸いたい」などは文学的な表現だった。

他にも重要な指摘があった。鳴り物を持って国葬を邪魔しようという奇妙で非常識な国葬反対派の人々に対し、黙々と献花をするために訪れた人々がいた。この常識的な日本人について、菅前総理は次のように述べた。

「二十代、三十代の人たちが、少なくないようです。明日を担う若者たちが、大勢、あなたを慕い、あなたを見送りに来ています。総理、あなたは、今日よりも、明日のほうが良くなる日本を創りたい。若い人たちに希望を持たせたいという、強い信念を持ち、毎日、毎日、国民に語りかけておられた。そして、日本よ、日本人よ、世界の真ん中で咲き誇れ。これが、あなたの口癖でした」

民主主義の根幹である選挙の最中に、テロリストの凶弾に倒れた名宰相を見送りたいと願っていた市井の人々だ。彼らこそ、まさに自民党の岩盤支持層だろう。若き市井の人々だ。

この弔辞に無理やりの罵声を浴びせたのが、テレビ朝日の玉川徹氏だった。国葬翌日の番組『モーニングショー』で、次のように語っていた。

「僕は演出側の人間ですから、テレビのディレクターをやってきましたから、それはそういう風につくりますよ。当然ながら。政治的意図が匂わないように制作者としては考えますよ。当然これ、電通が入ってますからね」

以前から、いかなる学術的根拠に基づいて話しているのかが全く不明な無知蒙昧なコメンテーターだと思っていたが、今回はいつも以上に悪質だった。菅前総理の弔辞に電通が絡んでいるという虚偽を、テレビで堂々と開陳したのだ。

翌日、これを訂正・謝罪したというが、保守系の政治家の失言だったら許されたのか。「謝罪だけでは足りない」と言い出しかねない張本人が、虚偽発言を「謝罪と出勤停止十日間」だけで収めようとした。許されざる所業だ。

それ以上に悪質なのは次の発言だろう。

「政治的意図が匂わないように制作者としては考えます」。こうした悪質な偏向番組を制作してきたという「自白」に聞こえる。放送法第四条の「政治的に公平であること」「報道は事実をまげないですること」に抵触する可能性が高いのではないか。

世間では、インターネットを利用する愛国者を「ネット右翼（ネトウヨ）」と攻撃する人々が多いが、現実には偏ったテレビ放送によって左派に洗脳された「テレビ左翼（テレサヨ）」のほうが多い。

民主主義国家であれば、誰にも表現の自由がある。玉川氏にも発言する権利はある。

だが、国民の財産である公共の電波を使用して行っているテレビ放送で、堂々と嘘をつくことは許されるべきではない。政治的意図を隠した番組制作もあり得ない。「潔く身を退くべきだ」と言ってやりたいが、潔さがないのが日本的「リベラル」（極左）の特徴とも言える。

他人は厳しく攻撃するが、自らは大した責任は取らない。こうした人々を有識者扱いするのが過ちであると、気づくべきではないか。彼らは有識者ではなく無識者であり、無責任以外の何者でもない。

●「ここで、お時間になりました」

オールドメディアの頽廃を示す事例は他にもある。

先日、驚くべきテレビ番組があった。十一月六日に放送された『日曜報道 THE PRIME』である。出演したのはエマニュエル・トッド氏。人口問題から社会や文明を分析する興味深い学者である。日本では「知の巨人」とも称されるが、これには私は賛同できない。彼の近代化論は、学問的に、あるいは哲学的に陳腐である。奇を衒う変人とまでは言わないが、私には「知の巨人」だとは思えない。三流の学者であろう。そのトッド氏がテレビで次のような対話をした。

※※※※

トッド　日本は独自の安全政策を持つべきだと思います。ただ日本の場合には人口の問題があります。ですから、これ私何度も申し上げたんですけれども、やはり核兵器を保有するということなんです。私の観点から言いますと、核保有というのはあんまり積極的な軍事的な政策を持つというよりは、核兵器を持てば……。

木村　チャメチャメ（不明瞭）。

トッド　中立的立場に立てると私は思うんです。

アナウンサー　ん？　木村さん、何ておっしゃいましたか？

木村　（フランス語で）絶対それはナシ。

アナウンサー　その議論については、かなり慎重にすべきところもあるかと思います。ここで、お時間になりました。ありがとうございました。

※※※※

どう考えても、オールドメディアは日本の核武装の問題を議論することすら避けている。

「時間になった」あるいは「CMの時間がやってきました」――そうして真剣な議論を打ち切ろうとするのがオールドメディアの常套手段である。

私自身も『朝まで生テレビ』に出演した際、立憲民主党の福山哲郎氏と議論になったことがある。私が「主義主張が異なる共産党と連携しようとするのはおかしい」と主張すると、福山氏は大声で怒鳴りつけた。「公共の電波を使って嘘を言うのはやめてください！」「選挙協力しているのにもかかわらず、連携していないってありえないでしょ……」と話し始めた途端に、番組はCMに移行した。私には反論の機会がなかったわけだ。

先般、久しぶりに『朝まで生テレビ』に出演した。その際、司会の田原総一朗氏とかなり激しい議論を交わした。「年長者に対して口の利き方がなっていない」「礼儀知らずだ」「見損ないました」等々の批判の声が寄せられた。フェイスブックでも私に「ああいう議論の仕方は見苦しい」等々のメッセージを送ってきた痴れ者がいた。議論は自由だが、この手の番組では保守派は声を大にして主張しなければ、主張そのものが隠滅されてしまう。幾度か出演した私は、その仕組みを知っている。だからこそ、強く主張したのだ。

●オールドメディアは日本代表にあらず

話を戻そう。ご存じない人も多いかもしれないが、エマニュエル・トッド氏はかねてより日本の核武装に賛成してきた。私が大変興味深く思ったのが、オールドメディアの代表格である『朝日新聞』でトッド氏が核武装論をブチ上げたことである。面白いから紹介しておこう。

※※※※※

トッド　核兵器は偏在こそが怖い。広島、長崎の悲劇は米国だけが核を持っていたからで、米ソ冷戦期には使われなかった。インドとパキスタンは双方が核を持った時に和平のテーブルについた。中東が不安定なのはイスラエルだけに核があるからで、東アジアも中国だけでは安定しない。日本も持てばいい。

若宮　日本が、ですか。

トッド　イランも日本も脅威に見舞われている地域の大国であり、核武装していない点でも同じだ。一定の条件下で日本やイランが核を持てば世界はより安定する。

若宮　極めて刺激的な意見ですね。広島の原爆ドームを世界遺産にしたのは核廃絶への願いからです。核の拒絶は国民的なアイデンティティで、日本に核武装の選択肢はありません。

※※※※※

私はトッド氏の議論が極めて常識的であると考える。若宮氏の議論は横暴である。若宮氏によれば「日本よ、核武装せよ」と主張するトッド氏に対して、彼は核の拒絶が国民的なアイデンティティだと主張する。ここにオールドメディアの傲慢さが表れていないか。少なくとも私は中国、ロシア、北朝鮮が核武装している以上、日本も核武装を検討すべきであると真剣に考えている。私は日本国民である。しかし、『朝日新聞』の若宮氏の論理に従えば、岩田温は日本国民のアイデンティティを拒絶している反日本的な人物ということになる。なぜ、オールドメディアの人々は自分たちこそが日本国民代表であると主張し、多様な意見を認めないのか。彼らはマイノリティの意見を抹殺する僭主なのか。

テレビにせよ、新聞にせよ、もはや黄昏を迎えているのではないか。確かに、オールドメディアには権力があった。それは政治以上に凶暴な権力だった。彼らに攻撃されれば反撃する術はなかった。従軍慰安婦問題で虚偽を垂れ流し、学者から批判を受けても、彼らはなかなか改めようとはしなかった。まさに権力の腐敗というものだろう。だが、驕れる平家久しからず。国民はオールドメディアの虚偽に気づきつつある。

●『岩田温チャンネル』が『朝日新聞』を凌駕すれば……

オールドメディアの凋落を尻目に、影響力を増しているのがユーチューブである。ユーチューブなど、素人がふざけ半分に投稿しているだけではないか。かつての私は、そう思っていた。今はそうした考えを改め、反省している。オールドメディアと闘うためにはこの方法しかない。そう確信している。『政治学者、ユーチューバーになる』（ワック）で詳述したが、全てのリスクを背負い、ユーチューブの世界に飛び込んだ。道半ばであり、前途多難であるのは重々承知しているが、やりがいに満ちた仕事だ。オールドメディアの虚偽・欺瞞・詐欺に騙されまいとする常識的な日本国民が視聴してくれている。ありがたい限りだ。

これからも張り切って更新を続けていく所存だ。攻撃も多い。あからさまな左翼による中傷、あるいは保守派を装ってアドバイスをしながら動画の作成を妨害しようとする者、様々である。だが、圧倒的多くの視聴者は常識的な日本国民である。こうしたメディアを待っていたとの声が何よりも嬉しい。『岩田温チャンネル』が『朝日新聞』、テレビ朝日を凌駕したとき、憲法改正は果たされる。

誰よりも安倍元総理に、その景色を見てもらいたかった。

[初出]「エマニュエル・トッド氏の『核発言封じ』また信用失ったTV」(『月刊ウイル』二〇二三年一月号)

最高裁判決の滑稽と過激

●「自由」=「自分の思う通りに行動できること」?

人間には宿命がある。生まれる時代も国も性差も選ぶことが出来ない。そうした宿命に抗(あらが)おうとすることは可能だが、根本的に宿命から逃れることは不可能だ。それが人生というものだ。

例えば、考えてみてほしい。大東亜戦争の際に青年として生きてきた人々は従軍し、多くが亡くなった。私の祖父母の兄弟もそうだった。平和な時代に生まれていたならば、何を成し遂げることが出来たのだろう。涙なくして彼らの人生を振り返ることは出来ない。いつも祖母は嗚咽しながら兄弟のことを語っていた。だが、日本を恨むことはなかった。その時代を悔しがっていた。彼らは生まれる時代を選べなかった。尊い命を国に捧げたのである。人生の中で自らの出来うる限りを行った。高貴な生き方としか評せない。

宿命を甘受して亡くなった人々。こうした人々を不自由だという議論がある。しかし、それは自由についての考察があまりに浅はかではないだろうか。自由とは自分の思う通りに行動できること、その障害が存在しないこと、これが自由だと考えていないか。十六〜十七世紀の哲学者トマス・ホッブズの描いた自由とは、このようなものだった。

しかし、自由については様々な見解が存在し、全く異なる自由論も古代ギリシャより展開されている。哲学者クセノフォンの『メモラビリア（想い出）』によれば、その師であるソクラテスは好き勝手なことをする自由を否定した。それは人間としての尊厳を失った野獣と同じではないか、人間の自由は放縦を意味しない、と問うたわけだ。そして、気高く人間的にあることを自由と呼んだ。少なくともソクラテスにとって、宿命を甘受して必死に生きた人々こそが自由だった。しかし、現在の日本では、少なからざる人が宿命など存在しないと考えているようだ。政治も司法も、その方向に流されている。

●女性トイレとジュディス・バトラー理論

先日、最高裁で驚くべき意見が表明された。経済産業省で、生物学的には男性で妻子もある人物がトランスジェンダーであると主張し、女性用トイレの利用を求めていた裁判を巡り、最高裁がこの人物の意見を首肯すべきであるとの判決を示したのである。生物としては男性でも自分が女性だと認識すれば女性用のトイレに入ることを認めるなら、トイレを男女に分けている意味は何なのだろう。疑問に思う国民は多いだろう。確かに、その通りである。だが、判決文の中で最高裁判事たちの叙述した補足意見は、さらに驚愕すべき内容だった。ある判事の補足意見では、次のように述べられている。

「自認する性別に即して社会生活を送ることは、誰にとっても重要な利益であり、取り分けトランスジェンダーである者にとっては、切実な利益である」

「自認する性別」との文言は分かりにくいが、平たく言えば、生物学的な性別を無視し、「自分は男である」「自分は女である」と主張すれば、社会もその主張を受け入れるべきだというのである。

生物学的な男性、女性との区別も宿命の一種である。しかしながら、令和の世では「男性である」「女性である」とは自身の意思を尊重して決められるべきことだと、最高裁判事は言う。自己の主張に基づいて、男性、女性を決定させなければ、それは社会のほうが間違っているとの論理は近年、世界中で展開されている。しかし、それは言い換えれば、生物学的に見た男性、女性の区別まで否定しているわけで、考えてみると、人類史上初めての奇妙で滑稽（こっけい）な論理である。

異様な論理の背後には、往々にして異様な理論が存在する。今回の件で分析するならば、その背後にあるのは、現代フェミニズムを代表する米国の理論家、ジュディス・バトラー氏の理論である。

彼女の著書『ジェンダー・トラブル』（青土社）を紐解（ひもと）けば、男、女が存在すること自体を否定している。私たちが知っている旧来のフェミニズムは、生物学的に人間を男性や女性と見ることまで否定するものではなかった。「ジェンダーフリー」という言葉を聞いた人も多いと思うが、これは生物学的な性差とは異なり、社会的につくられた性差（ジェンダー）こそが問題だという議論だった。例えば、男の子が黒いランドセルを使う。女の子は赤いランドセルを使う。これは自然的な性のあり方とは異なり、文化がつくり上げた性差で、解消すべき偏見だというのが旧来のフェミニズムであった。

だが、バトラー氏はさらに一歩進んで、人間を生物学的に見て男女に分ける性差（セックス）自体も、社会的につくられた偏見だと考える。

「『セックス』と呼ばれるこの構造物こそ、ジェンダーと同様に、社会的に構築されたものである」

「そもそもセックスとジェンダーの区別は、〈生物学は宿命だ〉という公式を論破するために持ち出されたものであり、セックスのほうは生物学的で人為操作が不可能だが、ジェンダーのほうは文化の構築物だという理解を、助長するものである」

つまりジェンダーのみならず、生物学的性を区別すること自体を否定し、生物学的な男、女の存在を区別するなと言うのである。従来のフェミニズムは、女性参政権運動のように女性の権利拡大を求め、例えば、平塚らいてうは「元始、女性は太陽であった」と説いた。その主張の一部は世の中で受容された。正当な主張だったからだ。女性参政権に反対する人は、今やほとんどいない。しかし、バトラー氏は女性など存在しないと言い始めた。生物学的な性にとらわれること自体を否定した。

●「宿命を生きる自由」はないか

「女性など存在しない」と聞いて、読者は理解できないと思ったかもしれない。女性が存在しないなら、女性の権利どころか、フェミニズム自体が成り立たないではないか――。その通り。理解できない読者が誤っているのではない。男女の性別の存在は常識で、バトラー氏の理論のほうが異常なのだ。その理論の底にあるのは、男性や女性に生まれたという宿命的な現実を否定しようという欲求であろう。だが、いかに男女の区別の存在を否定したところで、現実が変わるわけではない。

保守主義者エドマンド・バークは「偏見の擁護」を訴えたが、それは人間が理性であらゆる常識を疑い、「偏見だ」と否定し続ければ、非理性的な結論に行きつくしかないからである。

人間には受け入れなければならない宿命的な「偏見」もある。その意味では、保守主義とは、宿命を甘受し責任を果たすことだとも言えよう。保守主義の本質は、人間の理性を過信しないことでもある。

一方、左翼はすべてが理性によって分析することができ、合理的に改革することができると考える。宿命など人間の理性で改造できると考える。共産主義者は、共産主義社会が実現すれば人々は知的になる、と信仰していた。トロツキーは、共産主義社会が実現すれば人類の知能がゲーテ並みになる、と公言していた。人間についての認識が全く間違っていた。たとえ最高裁判事の考えであろうとも、奇妙な理論、奇々怪々な論理には、しっかりと否と叫ぶべきである。

何よりも、常識に還(かえ)ってみるべきだ。生物学的な男女の性差は確実に存在する。私は、自らの宿命を甘受して必死に生きているトランスジェンダーの人々を否定するつもりはない。私が反対するのは、宿命的な生物学的性差を否定できるという左翼思想である。なぜなら、それは国を亡ぼすのみならず、宿命を生き抜く人間の自由さえも滅ぼすからである。

［初出］「女・男は存在しない？　最高裁判決の滑稽と過激」
（『産経新聞』二〇二三年九月十日オピニオン欄）

第五章　今なお我が国に巣くう護憲左翼

サル発言で再認識！　憲法改正は急務だ

●衆院憲法審査会では真剣な討議が進められている

あまりに酷い発言で呆気にとられてしまった。怒るというより呆然とした。立憲民主党の小西洋之参議院議員は衆院憲法審査会が毎週開かれていることについて、次のように非難した。

「毎週開催は憲法のことなんか考えないサルがやることだ」

「何も考えていない人たち、蛮族の行為だ。野蛮だ」

そもそもサルは憲法のことなど考えない。憲法について語っている政治家をサル呼ばわりするのは論外だし、「蛮族」とはきわめて差別意識に基づいた許されざる発言である。だが、本稿で論じたいのは小西参議院議員の発言についてではない。憲法そのものについてである。

果たして、衆院憲法審査会で議論されている内容はくだらないのか否か。これが問題だろう。私は真剣な討議が進められていると感じている。例えば、三月三十日に衆院憲法審査会で、有志の会の北神圭朗衆議院議員は次のように指摘した。

「国防を論ずるたびに、国民をいかに守るかということよりも、憲法上許されるのかという神学論争が優先される不毛な現状に終止符を打つべきだと考えています。そのためにも、また、第九条の統制力の形骸化を止めるためにも、第二項を削除して、必要最小限度の実力については、法律や政策で柔軟に対応することが望ましいと考えます」

誰がどう考えても、これはサルの議論ではない。真っ当な議論である。安倍晋三元総理がどうしても憲法改正が必要と説いたのは、自衛隊違憲論を唱える政治家、憲法学者が少なくなかったからだ。本来であるならば、憲法第九条第二項の削除が悲願であったはずだが、あえてそう主張しなかった。第三項に自衛隊を明記せよと説いたのだ。これは安倍元総理の現実主義に由来する。だが、野党の北神衆議院議員は自衛隊を明記する第三項の加憲では手ぬるいと指摘している。戦力の不保持を定めた第二項を削除してこそ、真っ当な憲法改正だと主張しているのだ。誠に建設的、実りある議論が展開されているではないか。こうした議論は、サルにはできない。

●「憲法制定権力」が日本国民の手にはなかった

そもそも憲法改正が必要な理由とは何だろうか。その理由を五点に絞って述べてみよう。

一点目は「憲法制定権力」が我が国に存在しなかったことである。

ほとんどの憲法学者はこの問題に触れようとしないが、最も重要な論点は「憲法制定権力」の問題だ。「憲法制定権力」とは何か。それは憲法を憲法たらしめる力のことである。些か分かりにくいので、具体的に述べてみよう。

大日本帝国憲法が伊藤博文、伊東巳代治、井上毅らによって起草されたのは有名な事実だ。だが、大日本帝国憲法は彼らが起草した時点で憲法になっていない。明治天皇が彼らのつくった憲法草案を憲法として認めたからこそ、大日本帝国憲法として成立したのだ。大日本帝国憲法の場合、「憲法制定権力」は明治天皇の掌中にあった。

「憲法制定権力」とは、憲法を憲法たらしめる力を指す。時にこの力は歴史に根差し、時にこの力は剥き出しの暴力を意味する。いずれにせよ、憲法を憲法たらしめる力、それが「憲法制定権力」である。

日本国憲法における「憲法制定権力」の所在は那辺にあったのか。

誰がどのように見ても「憲法制定権力」を有していたのは、米国就中マッカーサー元帥であった。当時、マッカーサーの権力は絶対的だった。マッカーサーの命令を拒否し抵抗する者があれば、実力行使をしても構わないとの絶大な権力が与えられていた。日本国民でもなく、総理大臣でもなく、天皇陛下でもなく、圧倒的な権力を有していたのがマッカーサーだった。剥き出しの暴力である軍事力を背景としながら、マッカーサーは日本に憲法を押しつけた。

「押しつけ憲法論」は歴史的に誤りであると主張する人々も存在する。一例を挙げてみよう。彼らは米国が一院制を唱えていたが日本の抗議を受け入れ、二院制を導入したと主張する。

確かに、その通りである。だが、そこに本質はない。枝葉末節としか言いようのない事実を挙げ、日本の主体性が守られていたと説くのが彼らの特徴だ。

だが、根本に立ち返って考えてみるべきであろう。憲法を憲法として認める力。「憲法制定権力」が日本国民の手にはなかった。マッカーサーの手に握られていた。この事実を無視して、いくら日本側の主張が受け入れられたと喧伝してみても虚しいだけだ。首輪をつけられたサルがウロチョロと歩き回り、自分は自由だと信じているようなものだ。彼は決して手綱を持つ人間から自由にはなれない。「憲法制定権力」は日本国民から奪われていた。

●詭弁とも言うべき日本政府の憲法解釈

憲法制定過程の異常さについても触れなければならない。占領下における検閲こそが問題だ。占領下の日本では、GHQによる徹底的な検閲が行われていた。そうした検閲の中で禁止されていたのが憲法についての議論だった。検閲の中身を規定したプレスコードでは、次のように定められていた。

「3．SCAP（連合国最高司令部）が憲法を起草したことに対する批判
日本の新憲法起草にあたって、SCAPが果たした役割についてのいっさいの言及、あるいは憲法起草にあたってSCAPが果たした役割についてのいっさいの批判」

この方針に基づいて、検閲が行われていた。憲法に関する自由な国民の討議など存在しな

かった。検閲を行っていた人びとの多くは日本人だった。日本国憲法の第二十一条の第二項には検閲の禁止が定められている。曰く「検閲は、これをしてはならない。通信の秘密は、これを侵してはならない」。だが、実際には徹底的な検閲が行われていた。検閲に協力した日本人の一人は、次のように語っている。

〈他人の手紙を開いて見るということは、アメリカが草案をつくった新憲法でも禁止されていることなのに、この同胞に対する裏切りともいえる行為によって、自己の生計を立てるということには、大きな抵抗を感じました。〉（山本武利『検閲官』新潮新書）

こうした無慈悲で非人道的な扱いを行い、自らの憲法違反によって成り立つ憲法。それが日本国憲法なのである。

次いで国防論議について論じたい。何よりも日本国憲法が常軌を逸しているのは、国防論を全く放棄しているからである。まず憲法前文には次のように記されている。

「平和を愛する諸国民の公正と信義に信頼して、われらの安全と生存を保持しようと決意した」

私には全く理解できないが、日本近隣で平和を愛する諸国民とはどこの国民を指すのだろうか。ウクライナを侵略したロシアだろうか。日本に向けて度々ミサイルを発射する北朝鮮だろうか。台湾を武力によって併合することも厭わないと世界に向けて宣言している中国であろうか。常識的に考えてみて、彼らは「平和を愛する諸国民」ではない。極めて好戦的な国々である。こうした国々と日本はいかに対峙（たいじ）するのか。平和をいかに守り抜くのか。もちろん、日本には自衛隊が存在し、日米同盟も存在する。戦後日本の平和が保たれてきたのは、自衛隊と日米同盟のおかげであったと言っても過言ではない。だが、日本国憲法を隅々まで精査してみても「自衛隊」の文字はない。そもそも、自衛隊が存在する根拠も憲法を読んだだけでは理解が出来ない。改めて憲法九条を確認してみよう。

「第一項　日本国民は、正義と秩序を基調とする国際平和を誠実に希求し、国権の発動たる戦争と、武力による威嚇又は武力の行使は、国際紛争を解決する手段としては、永久にこれを放棄する。

第二項　前項の目的を達するため、陸海空軍その他の戦力は、これを保持しない。国の交戦権は、これを認めない」

憲法九条を虚心坦懐に読み直してみて、なぜ日本に自衛隊が存在できるのか疑問に思われる方も多いのではないだろうか。

日本には憲法九条が存在する。そして、自衛隊も存在する。ここに矛盾はないのか。なぜ憲法九条が存在しながら、日本に自衛隊が存在しているのだろうか。冷静に考えてみると、なかなか難しい問いである。小学校、中学校、高校、大学と教育を受けても「憲法九条が存在しながら、日本政府が自衛隊を保持できるのはなぜか」との問いに答えられる国民は極めて少ない。

政府の解釈では、憲法で定めている「戦力」と「自衛力」は異なる。すなわち、我が国に「戦力」は存在せず「自衛力」だけが存在していることになっている。では、そもそも「戦力」とは何だろうか。辞書を引くと「戦う力」と定義されている。自衛隊に「戦う力」がないと思う日本国民は存在するのだろうか。誰がどう見ても「戦う力」を有していると考えるはずだ。戦う力を持たないのならば自衛隊は不要だろう。それが日本語の常識だ。

だが、政府の憲法解釈は常識的な日本語の解釈から大いに逸脱している。「戦力」と「自衛力」とは異なるとの奇怪な解釈を取り続けてきた。つまり、日本に「自衛力」はあるが「戦力」は存在しない。それが政府の解釈だった。苦し紛れの解釈である。だが、この詭弁とも言うべき憲法解釈によって、日本は憲法九条を有しながら自衛隊を保持してきた。これは、まごうことなき事実である。

●最も腑に落ちる西修氏の議論

政府解釈とは異なり、「本来、日本国憲法のもとでも軍を保有できた」と指摘するのが憲法学者の西修氏だ。管見に従えば、戦後日本で最も優れた憲法学者が西修である。西氏は日本国憲法を制定したGHQの人々をインタビューするだけでなく、様々な資料を読み解きながら制定過程を精査し、日本国憲法の趣旨を考察している。西氏が注目するのは極東委員会の役割である。極東委員会とは、第二次世界大戦後、十一の戦勝国から構成された委員会を指す。極東委員会はマッカーサーより上位の機関として設定され、マッカーサーはこの委員会の承認を得なければ憲法を変革することができなかった。多くの憲法学者が極東委員会の果たした役割を軽視するが、西氏はこの委員会の存在を無視すべきではないと説く。

九条第二項に「前項の目的を達するため」との文言を挿入した芦田修正は有名だろう。だが、この芦田修正を極東委員会がどのように解釈したのかまで理解しなければ、本来の九条の意味が分からない。極東委員会では芦田修正を以て、日本は自衛のための「戦力」を保持できると判断した。それゆえに、憲法に第六十六条第二項「内閣総理大臣その他の国務大臣は、文民でなければならない」との文言を挿入する。いわゆる、「シビリアン・コントロール（文民統制）」が定められたのだ。

「文民統制」が必要であるとの判断は、「非文民」、すなわち軍人の存在が前提とされている。仮に日本に文民しか存在しないならば、あえて文民統制を謳う意味がないからだ。九条の意図を正確に読み解くには、六十六条第二項と併せて理解すること、すなわち、極東委員会の意図を押さえる必要がある。

私は様々な憲法解釈を読んできたが、西修氏の議論が最も腑に落ちる。文民統制を主張するには非文民の存在を前提としているとの議論は、コロンブスの卵のようだ。当然といえば当然だ。だが、誰も気づかない。実証的に研究してみても解釈上考えてみても、これほど合理的な解釈は存在しない。だが、残念なことに政治の世界は不条理である。政権が一度「戦力」に至らない「自衛力」であるから自衛隊を保持できると解釈した以上、西の極めて正当な解釈は政治の世界から消え去ってしまった。だからこそ我々は、本来であれば不合理なこの解釈と格闘しなければならない。

憲法九条が存在する以上、「戦力」と「自衛力」の区別という、諸外国から見れば意味不明な神学論争が継続している。国土、国民の生命、財産を守るという安全保障の基本を閑却(かんきゃく)して、不気味な神学論争に耽(ふけ)るのは憲法九条が存在するからだ。憲法九条を改正すれば、このような常軌を逸した憲法論から日本国民は解放されることになる。

日本語として美しくないのも日本国憲法の問題だ。例えば、前文を振り返ってみよう。

「日本国民は正当に選挙された国会における代表者を通じて行動し、われらとわれらの子孫のために、諸国民との協和による成果と、わが国全土にわたって自由のもたらす恵沢を確保し、政府の行為によって再び戦争の惨禍が起ることのないやうにすることを決意し、ここに主権が国民に存することを宣言し、この憲法を確定する」

誰がどう読んでみても一文が長すぎる。悪文である。そもそも考えてみてほしい。「日本国民は正当に選挙された国会における代表者を通じて行動し」とあるが、我々国民が行動する際、正当に選挙された代表者を通じて行動していない。トイレに用を足しに行く際、恋人とキスする際、ベッドで眠る際、正当に選挙された代表者を通じて行動するのか。私はそのような人が存在するならば見てみたい。トイレに行く際、国会議員に電話して「すみません。

私の代わりにトイレに行ってくれませんか」などと自らの行動を頼む人は存在しないだろう。全くの馬鹿げた日本語である。

私は勘ぐってしまうのだが、これほどの悪文が憲法の前文に掲げられている理由は何なのだろうか。先人が、日本国憲法は日本人がつくったものではないとのメッセージを後世に伝えるために、この悪文をあえて残したのではないだろうか。この日本国憲法の前文を読むたびに「早く日本国憲法を改正してほしい」という先人の悲痛な声が聞こえてくるのは、私だけだろうか。

日本国憲法には矛盾点が存在する。第七条では天皇の国事行為が規定されており、四項は次の通りである。

「国会議員の総選挙の施行を公示すること」

これはあり得ない。参議院に解散はないからだ。衆議院の解散はあり得ても、参議院はあり得ない。これは、当初一院制を企図していたＧＨＱが日本側の要望を受け入れ二院制とした際に、直し忘れた単純なミスである。ＧＨＱのミスが是正されることなく七十年間残っている。当然のことだが、人間のつくった法律には誤りが存在する。こうした誤りまで守り続けるのか。

●倒錯した議論には今こそ終止符を打つべき

他にもおかしな点が存在する。例えば、私学助成金の問題だ。憲法八十九条には次のように規定されている。

「公金その他の公の財産は、宗教上の組織若しくは団体の使用、便益若しくは維持のため、又は公の支配に属しない慈善、教育若しくは博愛の事業に対し、これを支出し、又はその利用に供してはならない」

この文言を厳密に適要すれば、私学助成金はあり得ないだろう。しかし、現実には私学助成金が存在し、私学助成金がなければ多くの私立高校、大学が立ち行かないはずだ。潰れてしまえばよい私立大学も多いが、国民の多くは私学助成金の撤廃など望んでいないだろう。やはり憲法が時代にそぐわないのである。

解散権についても触れてみたい。現在、解散権は首相の専権事項とされている。だが、日本国憲法を精査してみても解散権が首相の専権事項とは書かれていない。むしろ解散権について明記されているのは六十九条の次の文言だ。

「内閣は、衆議院で不信任の決議案を可決し、又は信任の決議案を否決したときは、十日以内に衆議院が解散されない限り、総辞職をしなければならない」

すなわち、衆議院から不信任を突きつけられた際、解散に追い込まれるというのが日本国憲法の趣旨である。だが現在、解散権は首相の専権事項とされている。その根拠となっているのが憲法七条だ。七条で規定されているのは天皇の国事行為に他ならない。この行為の中に「衆議院を解散すること」と書かれている（第三項）。この天皇の国事行為を根拠として、首相による自由な解散が行われている。本来であるならば、首相の解散権について憲法で規定しておくのが筋であろう。

以上、憲法制定権力、制定過程における極めて不条理な検閲、空疎な国防論、日本語の異常さ、現実との矛盾。これらの五つの観点から、どのように評価しても憲法改正が必要だ。特定の野党が議論すら拒否しているという。だが戦後、幾星霜（いくせいそう）、熟議に熟議を重ねてきたではないか。今こそ憲法改正に向かって歩むときである。憲法のために日本が存在するのではない。日本のために憲法が存在するのだ。倒錯した議論には、今こそ終止符を打つべきだ。

［初出］「サル発言で再認識　憲法改正は急務だ」（『正論』二〇二三年六月号）

憲法制定権力を取り戻せ

●「存在」の起源を問う「哲学」

「存在者」ではなく、「存在」それ自身を問うことの重要性を説いたのが、ハイデガーだった。

ハイデガーは言う。

〈哲学するとは「なぜ一体、存在者があるのか、そしてむしろ無があるのではないのか？」と問うことである。〉（ハイデガー『形而上学入門』平凡社ライブラリー）

ここでハイデガーが言う「存在者」とは、人間を指すだけではない。動物や昆虫といった生物だけを指すのでもない。人間、動物、車、様々な形で「存在」する全てである。我々は個々の「存在者」について考える。すなわち、「人間とは何か」、「犬とは何か」、「車とは何か」。しかし、そのとき、我々は「存在」そのものを自明視している。ハイデガーは、個々の「存在者」を問うのではなく、「存在」そのものを問うことが「哲学」だと定義する。

だから、ハイデガーにとって、存在の意味づけを簡単に与えてくれる宗教に基いた「宗教哲学」などというものは存在しない。「存在」の根源を問うのが「哲学」なのだから、「存在」の意義を予め定めてしまう立場に立てば、「哲学」をすることは出来ないということになる。

例えば、キリスト教では「元始に神天地を創造りたまえり云々」との聖書の字句こそが、全ての「存在者」の「存在」の根拠とされている。それゆえに、キリスト教を熱心に信仰する人にとって、「存在」とは自明の事実である。神が全ての存在者を創造した。いわば、神が全ての存在者の根拠であることを自明の事実と信仰する人々こそが、熱心なキリスト者なのである。「存在」は神によって定められている。したがって、改めて「存在」について問い直すことは、神に対する冒瀆とすら捉えられる可能性が否定できない。

だから、ハイデガーは言うのだ。

〈われわれの問いの中で真に問われていることは、信仰にとっては愚かなことである。
この愚かなことの中にこそ哲学は成立する。「キリスト教的哲学」などというものは木製

の鉄のようなものであり、誤解である。〉（前掲書）

ハイデガーは「愚かなこと」と言うが、彼が実際に哲学を「愚かなこと」だと考えているとは思えない。彼は「存在」を問うことなく全ての「存在者」の根拠を「神」に負うキリスト教を揶揄しているのだ。

このハイデガーの「存在」についての問いかけは「憲法」を考える際の導きの糸となる。

●憲法の起源とは？

多くの憲法学者たちは、憲法の存在を自明視したうえで議論を展開する。所与の憲法を解釈することが憲法学者の任務と心得ているのであろう。あたかもキリスト教者たちが、「存在」そのものの根源を問わなかったように、「憲法」の存在そのものの根源を問わずに議論を進めているように思われてならない。とりわけ、戦後の日本では、日本国憲法が絶対視され、日本国憲法を如何（いか）に解釈するのかにのみ議論が終始しがちであった。

日本国憲法を自明視する人々は、この憲法が如何に憲法となったのか、この憲法の存在そのものの根源には何があったのかを見ようとしなかった。

ここで我々は、二つの問いについて考えることにしてみたい。

第一の問いは、普遍的な問いだ。憲法とは、「如何に憲法となりうるのか」こそが問われるべきであろう。

そして第二の問いは、特殊的な問いだ。日本国憲法は、如何に憲法となったのか、という問いだ。

憲法は如何に憲法たり得るのか。

この根源的な問いかけに正面から真剣に取り組んだのが、カール・シュミットだった。彼はハイデガーが「存在」そのものについて考察したように、憲法の「存在」そのものの根源を問うた。

シュミットは、憲法を憲法たらしめる根源的な力を「憲法制定権力」と名づけた。彼にとって重要なのはそれぞれに存在する憲法ではなく、それぞれの憲法を憲法たらしめている「憲法制定権力」であった。

シュミットは「憲法制定権力」について、次のように定義づけている。

〈憲法制定権力は政治的意思であり、この意思の力または権威により、自己の政治的実存の態様と形式について具体的な全体決定を下すことができる、すなわち政治的統一体の実存を全体として決定することができるのである。〉（『憲法論』みすず書房）

憲法制定権力とは、政治的意思であり、政治的統一体、いわば国家のあり方を決定する力のことを意味している。

ここで直ちに問わねばならないのは、憲法制定権力を束縛するものは存在するのか否か、という問いだ。すなわち、政治的意思としての憲法制定権力は、何ものか上位の規範に縛られるのか、それとも、何ものにも縛られざる全くの自由な政治的意思なのか、という点が重要になる。なぜなら、仮に憲法制定権力を束縛する規範が存在するとすれば、憲法の根源を憲法制定権力と呼ぶことは不適切だということになるからだ。憲法を憲法たらしめているものは、憲法制定権力を束縛する上位の規範ということになるであろう。

簡単に図示すれば次のような略図を描けよう。

憲法←憲法制定権力←X

ここで言う「X」が存在するのか否かが、重要な問いになってくる。

こうした問いに対するシュミットの答えは鮮やかだ。

〈憲法は、内容が正当であるために妥当するところの規範に基礎を置くのではない。憲法は、自己の存在の態度と形式についての、政治的存在から出てくる政治的決定に基づいている。「意思」という言葉は——規範的または抽象的な正当性に依存するようなものでは全くなく——妥当根拠として本質的に実存するものを言い表す。〉

言い方が複雑だが、シュミットの言わんとするところは明らかだ。憲法は内容が正当であったり適切であったりするがゆえに憲法となるのではない。ある政治的存在が「意思」し、決定することによって憲法となるというのだ。憲法の根源に存在するもの、それは「憲法制定権力」であり、それは規範に依存しない、それ自身の「政治的意思」に他ならないというのがシュミットの立場である。

シュミットの立場は明らかだが、具体的に憲法制定権力とはどのような存在を意味しているのだろうか。

シュミットから離れるが、中世以前のヨーロッパでは、憲法制定権力は神だった。具体的には権力者が法を制定したが、その根底には神の存在が意識され、神こそが全ての法の源とされた。『聖書』ローマ人への手紙13章には次の一節が存在する。

〈神によらない権威はなく、存在している権威はすべて、神によって立てられたものです。〉

こうした神のみが持つ権威――ここでは敢えて憲法制定権力に限定する――を否定した出来事がフランス革命であった。フランス革命のイデオローグともいうべきシェイエスは、次のように指摘している。

〈われわれに憲法が欠けているとすれば、それを創らなければならないが、その権利を有するのは国民のみである。〉（『第三身分とは何か』岩波文庫）

〈だがいったい、どのような利益に沿って、どのように考えれば、憲法を国民自身に与えることができたのだろうか。国民は全てに先行して存在するのだ。国民は全ての源だ。その意思は常に適法なのだ。それは法律そのものだ。国民に先行し、その上位に位置するのは自然法のみなのだ。〉（前掲書）

●自然法とは何か

ここでシェイエスが国民に先行し、その上位に位置するとしている「自然法」について、ごく簡単に説明しておこう。

「自然法」とは、ギリシア・ローマ以来の西洋の伝統的概念で、人間のつくる法に先行する神によって定められたとされる概念だ。

我々は、目の前の法を「悪法」と感じる瞬間がある。人間の定める法は必ずしも正義と一致しないときがある。そのときに、目の前の「悪法」を不正義であると断ずる根拠こそが「自然法」に他ならない。

例えば、ローマの政治家であり、思想家でもあったキケローは次のように指摘している。〈事実、無知で無経験な者が治療薬のかわりに人を殺す毒を処方するなら、それを医者の処方と言うことができないのは当然であるし、また、国民の場合も、たとえ彼らがなんらかの有害な規則を受け入れたとしても、それを法律――それがどのような形のものであれ――と呼ぶことはできない。〉（キケロー『法律について』）

西洋においては、この自然法の概念が広く普及していた。それ故に、絶対王政における国王ですら、神の定めた「自然法」には従うべきであるとされていた。

こうした「自然法」の概念がシェイエスの法哲学の中にまで生き続けていた。

シェイエスの憲法制定権力についての理解は次のように図示できる。

憲法←憲法制定権力（国民）←自然法

従来、神に由来するとされた憲法、あるいは、法の根拠として「国民」を位置づけたことが決定的に重要である。

今、「自然法」について、我々は西洋の伝統的概念であることを確認したが、この「自然法」には一つの大きな特徴がある。それは「自然法」の長所であり、短所でもある。

すなわち、神の定めたとされる「自然法」は、我々が確認することが出来ないということだ。一体、我々の目の前の法が「自然法」に合致するのか、否かを検討したところで、それは各人の解釈でしかありえないということになる。

目の前の法を「悪法」であると断ずる人は、その法を「自然法」から逸脱した法であると解釈している。だが、同じ法を別の人は、「自然法」に合致すると解釈することが可能である。神が定めたとされる「自然法」は、幾多の解釈の余地を残している。万人に受け入れられた「自然法」解釈は存在していないと言ってよかろう。

また、「自然法」には、もう一つの問題点がある。それは「自然法」から逸脱した人間、集団に対する「罰則」が定められていない点である。もちろん、神の定めた「自然法」に逆らえば、神によって裁かれると解釈することは可能だ。だが、こうした立場に立たない人間にとって、そうした「罰則」は無意味である。すなわち、無神論者にとって、「自然法」からの逸脱は、何の問題もないこととされるであろう。また、様々な解釈が為された場合、いずれの解釈からの「逸脱」も現世では罰せられないことになる。

「自然法」はいかなる解釈も可能であり、そのいずれの解釈においても、逸脱者にたいする現世における「罰則」は存在しないということになる。

「罰則」の存在しない「法」とは、十分な効力を発揮する存在であろうか？

なるほど、多くの人々が熱心に神を信じ、来世を信じる時代においては、「自然法」の概念は有効に機能すると言ってもよかろう。だが、神の存在を信じない人々が増え、来世を虚構に過ぎないと見なす人々が増えた場合、「自然法」の概念は有効に機能するとは言えないだろう。

社会契約論で有名なホッブズは次のように指摘している。

〈諸信約は、剣をともなわなければ、語にすぎないし、人の安全を保障する強さをまったくもたない。〉

逸脱した場合に、処罰が下される。これが信約の要諦に他ならないと解釈するのがホッブズだ。処罰が下されない信約は「語」に過ぎない。

シェイエスはギリシア・ローマ以来の伝統を踏まえて、国民の意思が「自然法」に合致するときに、「憲法制定権力」となると説いた。だが、国民の意思が「自然法」に合致しているか、否かを判断することは誰にも出来はしない。

そうなると結局のところ、国民の意思こそが憲法制定権力に他ならないという議論にまでたどり着くことになるだろう。

ここで再びシュミットの議論に戻ってみよう。憲法制定権力を束縛する規範は存在せず、政治的意思、決断によって憲法が制定される。これがシュミットの議論の核心だ。正義や神意が秩序をつくり出すのではない。人間の意志や決断によってのみ憲法は制定されるのだ。憲法を制定する際に必要なのは、正義でも、善悪の観念すらない。意思と決断なのだ。

シュミットの指摘は、あまりにも生々しい指摘というより他ないが、神なき時代の憲法論としては極めて妥当だ。

こうしたシュミットの指摘に対して、日本の法学者の泰斗（たいと）とされる芦部信喜は次のように反論している。

〈もっとも、憲法制定権力が政治的意思だということは、直ちにそれが赤裸々な生の実力であることを是認することにはならない。制定権力は法秩序と国家権力（憲法によってつくられた力）を創造する権力であるかぎり、一般の実定法規に服さないのは当然であるが、しかし、カール・シュミットのいうように「常に自然状態にある」実力として、何らかの規範的拘束をもうけず、憲法秩序の運命を自由に左右できるものとみるべきではない。〉（芦部信喜

『憲法制定権力』東京大学出版会）

芦部は憲法制定権力を束縛するものは存在しないというシュミットの指摘を否定し、憲法を制定する際には、何らかの「規範的拘束」が憲法制定権力を拘束すると説く。

それでは、憲法制定権力を拘束する「規範的拘束」とは、いかなる存在なのだろうか。

芦部は次のように説明している。

〈制憲権の規範的拘束を認めることが無意味に帰するわけではない。時代によって変転する基本原則も相互に矛盾する価値を内容とするものではなく、人間価値の尊厳という一つの中核的・普遍的な法原則に帰一する。この人間人格の自由と尊厳はもっとも根本的な法原則であり、この原則を中核とする価値・原理の総体は近代憲法の根本規範、すなわち「規範の規範」である。しかもこの根本規範は、戦後の民主主義憲法にみられるように、実定化された超実定的憲法原則、直接的通用性をもつ真の超実定法であり、単にケルゼンのような仮説的に「前提された」内容のない根本規範ではない。

かような民主法治国家の基本価値を内容とする根本規範は、制憲権が自己の存在を主張するための基本的な前提であり、制憲権の活動を拘束する内在的な制約原理である。したがって、この根本規範をふみにじる新しい秩序の創設は、制憲権の発動ではなく、あらわな事実力による破壊であり、正当性を主張することはできない。内容上、この根本規範を侵犯する新しい憲法は、全体において、もしくは個々の規定において、非正当的と考えるべきである。〉

（前掲書）

少々長い引用だが、芦部の言わんとするところは明確である。まず、芦部は憲法制定権力、すなわち「制憲権」を拘束する規範をドイツの法学者ケルゼンの言葉を借りて「根本規範」と名づける。ケルゼンの議論では「根本規範」は仮説的に前提とされた概念だったが、芦部はケルゼンとは異なり、その内容を明確にしている。「人間人格の自由と尊厳」こそが、全ての憲法の法源であり、民主法治国家の基本価値を内容とする根本規範に反する憲法は憲法として成立し得ないというのが芦部の主張である。

だが、ここで疑問が生じてくる。

「この根本規範をふみにじる新しい秩序の創設は、制憲権の発動ではなく、あらわな事実力による破壊であり、正当性を主張することはできない」と芦部は断定するが、いくら芦部が自らの定めた「根本規範」に反した憲法は「正当性を主張できない」と叫んだところで、実際に地球上のどこかの国で、ある「憲法制定権力」によって、芦部の「根本規範」に反する憲法が設立された際、芦部はいかなる対応をするのだろうか？

自分自身の「根本規範」に反する憲法は憲法ではないと主張し、それらの憲法を口先で否定するのか、それとも、存在すべきではない憲法は否定されるべきだとして、何らかの暴力によってそうした憲法を否定するのだろうか。

平和で安全な場所から芦部がいくら「存在すべきではない」と熱弁を振るおうが、泣こうが、騒ごうが、そうした憲法制定権力の憲法制定の意思や決断を止めることは現実には不可能である。

事実、「イスラム国」（ＩＳ）では、我々の抱く近代的な人権意識とは全く異なった法秩序が成立していた。彼らはイスラムの教えを唯一の教えと定め、神の命じたことに服従することが正義であるという法秩序を構築した。また、北朝鮮では金一族の命令に従うことによってのみ人間は主体的に生きることが出来るという、奇妙極まりない全体主義思想「主体思想」が唯一、思想体系に定められている。北朝鮮の人々の人権が蹂躙されていることは確かだ。明らかに、こうした法秩序は芦部のいう「根本規範」からは逸脱した秩序であろう。だが、現実にそうした法秩序が成立している以上、それらの政治体制をつくり上げた存在がなかったということは出来ない。芦部の言う「根本規範」から外れた「憲法制定権力」が憲法を制定したというのが現実だろう。

こうした芦部の態度は、日本の左派、「リベラル」を気取る知識人たちの典型例とでもいう態度だろう。彼らは現実と願望とを混同し、みずからの願望こそが現実であるかのように語るのだ。憲法制定権力に先立つ「根本規範」が存在して欲しいという願望と、「根本規範」など存在していないという現実の区別がつかないのだ。願望は願望として存在すべきであろう。理想や理念を忘れた現実主義はニヒリズムと径庭（けいてい）がない。しかしながら、現実を現実として見つめることのできない理想は、妄想に等しいと言っても過言ではあるまい。

ここでは憲法制定権力とは政治的意志であり、決断であるというシュミットの論理を確認しておきたい。

●日本国憲法と憲法制定権力

さて、憲法制定権力に関する議論が終わった現在、次に考えるべきは、我が国の日本国憲法の憲法制定権力とはいかなる存在であったのかという問題だ。

直接この問題を論ずる前に、憲法制定権力という概念を理解していないがゆえの悲喜劇とでもいうべき本を紹介しよう。小西豊治著『憲法「押しつけ」論の幻』（講談社現代新書）という本だ。著者がここで注目しているのは憲法学者・鈴木安蔵が中心となった憲法研究会が発表した憲法草案だ。この中で「国民主権」の思想が描き出されていることを強調する。

〈憲法研究会公表案は、天皇の神聖と不可侵の特権を規定しないことによって、明治憲法の…（略）…神聖天皇観を抜け出し、国民主権を規定し『元首』天皇を削除することによって、明治憲法の…（略）…「統治権をもつ元首」天皇観からも抜け出し、…（略）…日本国憲法の象徴天皇の原型を示した。〉（前掲書）

明治憲法を遅れた憲法ととらえ、日本国憲法を進歩的な憲法だと捉える憲法観について批判したい誘惑にも駆られるが、とりあえずここでは彼の論理だけ押さえておこう。憲法研究会の公表案のなかに「国民主権」の思想が存在し、象徴天皇の萌芽が存在したというのが著者の主張である。

そして小西氏は、次のように主張しているのだ。

〈日本国憲法の核心部分は、憲法研究会が生み出した日本側のオリジナルな思想である。〉（前掲書）

日本人の憲法草案の中で採用された部分もあるのだから、日本国憲法を「押しつけ憲法」と呼ぶことは誤りであるというのが小西氏の主張なのだ。

この議論の最大の誤りは、憲法制定権力について何も検討が為されていない点にある。確かに、GHQの中で憲法を起草することになるハッシーの「ハッシー文庫」に憲法研究会の草案が存在していたことは事実であり、そうした議論を参考にした可能性は否定できない。

だが、この議論の陥穽（かんせい）は、憲法制定権力が誰の手に握られていたのかという決定的に重大な問題を無視している点にある。例えば、三権分立という思想はフランスの思想家モンテスキューにその淵源を見出すことが出来る。しかし、ある国家が憲法を制定する際に、モンテスキューの三権分立を採用したからといって、この憲法は「フランス製」であるということにはならない。重要なのは、数ある草案の中で、これを憲法とすると「決定」する力を握っていた存在である。

日本国憲法前文の冒頭には、次のように書かれている。

「日本国民は正当に選挙された国会における代表者を通じて行動し、われらとわれらの子孫のために、諸国民と協和による成果と、わが国全土にわたって自由のもたらす恵沢を確保し、政府の行為によって再び戦争の惨禍が起こることのないようにすることを決意し、ここに主権が国民に存することを宣言し、この憲法を確定する。」

一文が極端に長い醜悪な文章であることはさておき、以下確認していくことだが、「主権が国民に存することを宣言し、この憲法を確定する」など真っ赤な嘘が書かれている。

日本国憲法が制定された当時、憲法制定権力はＧＨＱに掌握されており、主権は国民の手に存在していなかった。

紙面の関係で憲法制定過程について詳述する余裕はないので、ここでは論点を絞って議論を進めたい。

第一に、被占領期におけるマッカーサーの地位である。１９４５年9月6日、ミズーリ号で降伏文書の調印がなされた僅か四日後に『連合国最高司令官の権限に関するマッカーサー元帥への通達』が出される。この文書の中でマッカーサーの権限が次のように明記されている。

「天皇および日本国政府の国家統治の権限は、連合国最高司令官としての貴官に従属する。…（略）…貴官の権限は最高であるから、貴官は、その範囲内に関しては日本側からのいかなる異論をも受け付けない」

「貴官は、実力の行使を含む貴官が必要と認めるような措置をとることによって、貴官の発した命令を強制することができる」

いまだに八月十五日の敗戦によって、日本国では自由と民主主義が復活したなどという夢物語を信じる人たちもいるが、実際には、天皇、政府を超える絶対的な権限を持つ統治者が日本に存在し、「実力の行使」までもが認められていた。この巨大な権限を持つマッカーサーを束縛する存在は日本国内には皆無であった。

第二に、日本側の憲法改正草案が一蹴され、GHQ案が提示されたことである。

紆余曲折を経た後、マッカーサーは幣原喜重郎内閣に憲法改正を命じた。このとき憲法改正問題を担当したのが松本烝治大臣だった。松本は憲法学者、法制局長官等々からなる松本委員会を発足させ、憲法改正草案を作成した。松本案が公表される前に『毎日新聞』で報じられると、マッカーサーはGHQが早急に憲法草案をつくることを決意し、民政局に憲法草案の起草を命じる。急遽つくられた草案であったため、他国の憲法をそのまま引用したような草案がつくられた。例えば、『1945年のクリスマス』の著者としても知られるベアテ・シロタの事例である。シロタのいかがわしさについては、高尾栄司氏が渾身の力作『日本国憲法の真実』（幻冬舎）で詳述している。

ベアテは憲法の十八条項の草案を次のように書いたと主張している。

〈家族は、人類社会の基礎であり、その伝統は、善きにつけ悪しきにつけ国全体に浸透する。それ故、婚姻と家族とは、法の保護をうける。（略）両性が法律的にも社会的にも平等であ

ることは当然である。〉

高尾氏はこの条項がワイマール憲法の百十九条をコピーしたものだという。実際にワイマール憲法百十九条は次のように書かれている。

「婚姻は、家庭、国の維持・成長の基礎である。それゆえ、婚姻は憲法の特別の保護を受ける。両性の平等を基本とする」

私はこの事実を知った際、衝撃を受けた。我が国の憲法の草案が他国の憲法の丸写しだというのだから、これほど我が国を侮辱した行為はありえないであろう。文字通り、突貫工事のような作業で我が国の憲法の基礎となるGHQ草案がつくられたのだ。

そしてさらに重要なのは、松本草案が否定され、GHQ草案が日本に提示された際、GHQがこの草案を飲まねば、天皇の地位が危ういと脅迫した点である。日本側の記録では天皇についての言及があったとされているが、日本国憲法研究の泰斗、西修氏の『日本国憲法の成立経緯』（海竜社）を読むと、アメリカ側の主張は異なることがわかる。なお、西修氏のこの著作が歴史的価値のある著作である所以は、実際にGHQに所属し、憲法草案を起草した人々に直接インタビューがなされているからだ。

西氏がケーディスに対して、この問題を質問している。日本側の松本国務大臣は「天皇の身体を保障することができない」とホイットニー准将が発言したというが、実際にはどうだったのかという趣旨の質問だ。これに対して、ケーディスは「記憶しておりません」「私の記憶するかぎり、ＧＨＱの何人も、天皇の身体について、明示的にも黙示的にも、いかなる脅迫もしたことがありません」と述べている。

結論から言えば、真実は闇の中ということだ。しかし、圧倒的な権力を持ったマッカーサー案を飲まねば、何をされるかわからないと松本たちが不安を感じたのは事実であろう。マッカーサーが「実力」を行使する権限まで与えられた権力者であったことを忘れてはならない。

そして最後に重要な論点となってくるのが、ＧＨＱの徹底した検閲が存在したという事実である。すなわち、日本国民が自由に議論をした結果、この憲法が憲法として成立したというならば、日本国民も憲法制定に参画していたと言ってよいだろう。しかしながら、当時の日本に言論の自由はなかった。自由な議論が禁じられている中で、日本国憲法が制定されたのである。

実際にＧＨＱで検閲作業に従事していた甲斐弦は次のように述懐している。

〈新憲法第二十一条を読むたびに私は苦笑を禁じ得ない。

「検閲は、これをしてはならない。通信の秘密は、これを侵してはならない」

何という白々しい言葉だろう。

言論及び思想の自由を謳ったポツダム宣言にも違反し、ＧＨＱ自身の手に成る新憲法にも抵触するこのような検閲が、憲法公布後もなお数年間にわたって実践されていたのである。〉

（甲斐弦『ＧＨＱ検閲官』葦書房）

この検閲の対象となっていた一つがＧＨＱ，アメリカが日本国憲法の制定に関与したことに触れることだった。ＧＨＱによる検閲の実態を調査した先駆者である江藤淳の『閉された言語空間』（文藝春秋）には「削除または掲載発行禁止の対象となるもの」が紹介されている。

〈ＳＣＡＰ──連合国最高司令官（司令部）に対する批判〉

〈ＳＣＡＰが憲法を起草したことに対する批判
日本の新憲法起草に当ってＳＣＡＰが果した役割についての一切の言及、あるいは憲法起草に当ってＳＣＡＰが果した役割に対する一切の批判〉

〈検閲制度への言及
出版、映画、新聞、雑誌の検閲が行われていることに関する直接間接の言及がこれに相当する〉

他にも重要なものがあるが、ここではこの三点のみの紹介にとどめる。そもそも検閲を行い、支配している以上、ＧＨＱに対する一切の批判が許されなかったというのは誰もが想像がつく。しかし、興味深いのは憲法について「批判」のみならず「ＳＣＡＰが果たした役割についての一切の言及」が許されなかったという点だ。これはＧＨＱ草案に対する批判ではなく、肯定的な言及も禁じられていたということを意味する。

実際に、私が国会図書館のプランゲ文庫で検閲されたものを調査してみると、次のような内容が削除されていた。昭和二十一年十一月一日に検閲が行われた資料である。プランゲ文庫を調べる際には、まずGHQに提出され、実際に黒塗りで検閲を受けた資料を読む。次に英文でなぜ、この文章が削除されたのかの説明が為されている資料を読む。そして、実際に市販された検閲後の資料で黒塗りがなくなり、まるで検閲など何もなかったかのような資料を読む。つまり、我々は日本人の議論で削除された部分を知るためには英文の資料に当らなければならないのである。はじめて資料を調査したとき、「言葉を失うとは、こういう状況なのか」と驚いたことを覚えている。

一部分が削除されていたのは、『改造』に発表された論考だ。このとき「各政党は何をしたか」という特集記事が組まれ、中村哲という人物が「各党と憲法論議」という一文を寄せている。中村は「制憲者は誰か」との小見出しの文章で、日本国憲法の制憲者が誰なのかが曖昧だと批判している。中村は明らかに明治憲法を否定し、より民主的な憲法を求めるべきだとの主張を展開している。連合国、占領軍を否定するのではなく、むしろ日本の為政者たちを批判しているのだが、この中で面白い部分が削除されている。

英語では次の部分だ。

「(At least) in the (English version of the Preamble)」

「（少なくとも英文版の前文では）その制定権者が人民であることを明記しているが」

中村は憲法に人民主権と書くべきだという主張を展開する中で、日本国憲法の英語版のほうが優れていると説いている。これは保守的な考え方でも国粋的な考え方でもなく、寧ろ非常に左派色の強い論考だ。しかし、憲法の「英文版」が存在していたことを記したことによって部分的に削除を命じられたのである。

他に、このような事例もあった。『青年』という雑誌に掲載された稲田正次の「新憲法の精神」という論考だ。こちらも削除された部分がある。なお、この稲田正次は「まさつぐ」と読むべきだが、報告書では「Ｍａｓａｊｉ」になっている。削除されている部分はカッコ内である。

「然るにその後政府は急に態度を変じ（ＧＨＱと密接な関係を取りながら）憲法の『根本的改正』を決意し、」

アメリカは何としてもこの憲法を日本人がつくった憲法であると錯覚させるために、徹底的な検閲を駆使していたというのが歴史の真実である。検閲をしていることを示唆する内容まで検閲の対象になっていたということは、彼らが何か後ろ暗い部分があったことを思わせる。確かに、民主主義国家で言論の自由を与えたというアメリカ自体が、戦前の日本における検閲以上に徹底した検閲をしていたのだから、誰がどのように考えても矛盾しているはずだ。

日本国憲法に関する憲法制定権力とはアメリカであり、より正確に言うならば、マッカーサーであったということになる。

他国に憲法制定権力を奪われていた時期につくられた憲法が、あたかも日本人の手によってつくられた憲法であるなど、歴史の偽造、捏造以外のなにものでもない。政治的状況を考えれば、現実的にこの憲法を根底から変革することは難しいであろう。しかし、多少の憲法改正を行ったところで、この禍々(まがまが)しい日本国憲法の憲法制定権力の保持者がマッカーサーであったという事実は否定できないのである。

原理原則から言えば、憲法制定権力を取り戻すことが、真の独立国・日本の証なのである。

（書き下ろし）

第六章 「反日」「リベラル」という病

司馬、半藤型「歴史論」はもう古い！

●戦は大義名分を必要とする

数年前のことになるが、山形県の上杉神社を参拝した際、ふと隣接していた資料館に立ち寄った。とりわけ戦国時代に明るいわけではないのだが、どんな時代の資料館であっても、その地域の歴史が感じられるので、時間の許す限り訪問したくなる。別に目当てがあったわけではなく、ぼんやりと刀や資料を眺めていたのだが、面白い資料を発見した。上杉謙信が、武田信玄の極悪非道ぶりを列挙し、なぜ、武田信玄を討たねばならぬのかを細々と綴った文書だった。

具体的な内容に興味を持ったわけではない。上杉が列挙した内容が事実であるか、否かも興味がなかった。だが、戦に際して、上杉謙信が大義名分を掲げて戦っていたという事実に改めて感銘を受けたのだ。

戦は大義名分を必要とする。たとえ強引な論拠であろうが、無理矢理の理屈であろうが、何らかの大義名分がなければ、戦は始まらない。とりわけ、近代における国民を動員する戦争では、国民を鼓舞するための「大義名分」が重要になってくる。自分たち自身が「侵略戦争」に向かうという意識では、戦争は遂行されないだろう。だが、一歩立ち止まって考え直してみれば当然のことが、日本ではなぜか、この大義名分の問題が無視されたままになっている。日本人が戦ったあの大東亜戦争にも大義名分が存在し、多くの国民がそうした大義名分を善くも悪くも是としていたのだ。

戦前、戦時下の日本における消費や観光を研究しているケネス・ルオフは、次のような重要な指摘をしている。

〈(戦後)日本を戦争の暗い谷間へと引きずりこんだとして、漠然とした少数の「軍国主義者」を非難することが通例となった。しかし、国民の支持がなければ、全面戦争の遂行などできるわけがないのだから、これは奇妙な言い草だった。〉(『紀元二千六百年 消費と観光のナショナリズム』朝日叢書)

確かに「奇妙な言い草」だ。多くの日本国民は、大東亜戦争の開戦に感激し、熱烈に戦いを支持していた。

我々の父祖は、何の大義名分もない戦いを熱狂的に支持していたのだろうか。

なぜ、あの戦争を多くの国民は支持していたのだろうか。

司馬遼太郎の説明はこうだ。

〈日本という国の森に、大正末年、昭和元年ぐらいから敗戦まで、魔法使いが杖をポンとたたいたのではないでしょうか。その森全体を魔法の森にしてしまった。発想された政策、戦略、あるいは国内の締めつけ、これらは全部変な、いびつなものでした。

この魔法はどこから来たのでしょうか。魔法の森からノモンハンが現れ、中国侵略も現れ、太平洋戦争も現れた。世界中の国々を相手に戦争をするということになりました。〉（司馬遼太郎『昭和という国家』ＮＨＫブックス）

日本という国に魔法使いが魔法をかけ、日本全国が魔法の森になってしまった。

司馬の説明が事実ならば、納得がいく部分もある。要するに、我々の父祖は魔法にかけられていたために、全くの無謀で無意味な戦争を支持していたのだ、ということになる。

だが、魔法使いは存在しないし、日本という国家に魔法がかけられたわけでもない。こういう馬鹿げた理屈は、くだらない歴史小説の読者には十分に説得的なのかもしれないが、歴史の説明にはならない。

司馬の理屈を少々言い換えたのが半藤一利氏の説明だ。半藤氏は次のように説明している。

〈ここから大正、昭和になるのですが、自分たちは世界の堂々たる強国なのだ、強国の仲間に入れるのだ、と日本人はたいへんいい気になり、自惚れ、のぼせ、世界じゅうを相手にするような戦争をはじめ、明治の父祖が一生懸命つくった国を滅ぼしてしまう結果になる。〉（半藤一利『昭和史』平凡社ライブラリー）

司馬が「魔法」にかかったと言った部分を「自惚れ、のぼせ」たと言い換えているだけだ。「魔法」にかかったという説明よりはまともだが、国民すべてが「自惚れ、のぼせ」て戦争に向かったとするならば、日本国民は愚かであったというだけの話になる。何の同情も憐憫（れんびん）の情も不要だ。

●有史以来、人種差別は相当激しいものだった

だが、本当に日本人は愚かであったから、無謀な戦争に突入したのか。戦争の大義名分は存在しなかったのか。我々はなぜ多くの日本国民が大東亜戦争を支持したのか、その大義名分を忘れてしまったのではないか。

大東亜戦争の大義名分とは何か。

この問題に関して、最も端的に言い表したのが、外務大臣を務めた重光葵だ。彼は次のように綴っている。

〈東洋の解放、建設、発展が日本の戦争目的である。亜細亜は数千年の古き歴史を有する優秀民族の居住地域である。亜細亜が欧米に侵略せられた上に其植民地たる地位に甘んずる時機は已に過ぎ去つた。〉（重光葵『重光葵　手記』中央公論社）

我々が忘れがちな事実だが、当時、アジアのほとんどの国は欧米の植民地であり、独立国家ではなかった。この事実を見落とすと、大きな過ち（あやま）を犯すことになる。現在の独立国家としてのアジア諸国に突如、日本軍が攻め込んでいったのではないのだ。既に西洋諸国に侵略されたうえに、収奪されていた植民地に日本軍は侵攻したのだ。

重光は、当時の国際秩序の矛盾についても指摘している。

〈東洋に対しては亜細亜植民地の観念は何等改めらるる処なく、即ち東洋人に対しては人種の平等が認められぬのみでなく、民族主義の片鱗をも実行せられなかつた。東洋を永遠に西洋の奴隷であるとする考えが尚維持されたのは非常な矛盾であつた。〉(前掲書)

第一次世界大戦後、国際連盟の設立に際し、「民族自決」の原則が定められたはずだった。しかし、アジアの植民地では一切、「民族自決」は認められず、「東洋を永遠に西洋の奴隷であるとする考え」が、維持され続けていたのだ。

アジアに生きる我々も、民族自決を主張する権利を有するのではないか。我々が常に西洋に劣っているとする考えは、異常ではないか。

戦争の是非はさておき、ここでの重光の主張は戦後に生きる我々からすれば、正当な主張だと言ってよい。アジア諸国民は西洋諸国の奴隷のままであり続けるべきだと説くレイシストは、ほとんど存在しないと言ってよいのではないだろうか。

だが、当時は違った。

人種平等という声を上げること自体が、当時の常識を打ち破る行為に他ならなかったのだ。時代の価値観は、あの大東亜戦争の前後で大きく転換した。これは、誰もが否定できない事実である。

人種差別の問題に関して、現代の我々はあまり敏感ではない。だが、有史以来、人種差別は相当激しいものであったことを認識しておく必要があるだろう。

例えば、誰もが「三権分立」の考案者として知るモンテスキューの『法の精神』に、次の一節があることをご存じだろうか。

〈現に問題となっている連中は、足の先から頭まで真黒である。そして、彼らは、同情してやるのもほとんど不可能なほど、ぺしゃんこの鼻の持主である。

極めて英明なる存在である神が、こんなにも真黒な肉体のうちに、魂を、それも善良なる魂を宿らせた、という考えに同調することはできない。

人間性の本質を形成するものは色であるという考え方は非常に自然であり…（略）…。〉（モンテスキュー『法の精神』岩波文庫）

〈黒人が常識をもっていないことの証明は、文明化された諸国民のもとであんなに大きな重要性をもっている金よりも、ガラス製の首飾りを珍重するところに示されている。

われわれがこうした連中を人間であると想定するようなことは不可能である。なぜなら、われわれが彼らを人間だと想像するようなことをすれば、人はだんだんわれわれ自身もキリスト教徒ではないと思うようになってくるであろうから。〉（前掲書）

啓蒙思想家の代表的存在であるモンテスキューは、黒人の存在を全面的に否定したレイシストだった。人間性の本質を形成するものが肌の色であるという偏見が露骨に表されている。

肌の色が異なる人々は、自分たちよりも劣っている――全くの偏見に過ぎないのだが、偶然科学技術を進歩させたのが白人であったため、こうした偏見が、あたかも永遠不変の真実であるかのように信じ込まれてきたのだ。

もう一つ触れておかねばならない過酷な事実がある。それは、キリスト教徒が世界中で大虐殺を繰り返してきたという事実である。

キリスト教徒が非キリスト教徒に戦争を仕掛け、力ずくで改宗を迫ることは、正しいことであると主張した人物がいる。セプールベダだ。彼はインカ帝国の虐殺を糾弾したラス・カサスの論敵として知られる人物だが、現在の我々からすると恐るべき主張を展開している。

セプールベダは言う。

〈野蛮人に対する戦争は自然法に基づき、その目的は敗者に大きな利益をもたらすことにあります。すなわち、野蛮人はキリスト教徒から人間としての尊厳の価値を学び、徳の実践に慣れ、正しい教えと慈悲深い忠告を受けることにより、すすんでキリスト教を受け入れる心の準備をするようになるからです。〉（セプールベダ『第二のデモクラテス』岩波文庫）

キリスト教が侵略を容認、否、推奨していたという事実を我々は看過（かんか）すべきではない。キリスト教を信じない野蛮人を征伐し、キリスト教徒に改宗させることによって、野蛮人は正しく生きることが可能になるというのだ。インカ帝国、アステカ帝国、キリスト教の宣教と軍事的侵略が相補的な関係にあったというのが、歴史の真実なのである。セプールベダの論敵ラス・カサスは、スペイン人たちの残虐な行為を綴ったが、それは、にわかには信じがたいほど残酷な行為の数々である。

ラス・カサスは言う。

〈この四〇年間にキリスト教徒たちの暴虐的で極悪無慙な所業のために男女、子供合わせて一二〇〇万人以上の人が残虐非道にも殺されたのはまったく確かなことである。それどころか、私は、一五〇〇万人以上のインディオが犠牲になったと言っても、真実間違いではないと思う。〉（ラス・カサス『インディアスの破壊についての簡潔な報告』岩波文庫）

〈実際、キリスト教徒たちはこの人たちを畜生にも劣るとみなし、粗末に扱ってきた（もし彼らがこの人たちを畜生とみなし、扱っていたら、まだましであったであろう）。それどころか、彼らはこの人たちを広場に落ちている糞か、それ以下のものとしか考えていなかった。〉（前掲書）

結局のところ、キリスト教徒ならざるインカ帝国の人々は、人間以下の存在として扱われ、虐げられてきたのだ。

キリスト教に基づいた西洋文明のみが「文明」であり、それ以外の社会はすべて「非・文明」「野蛮」であるというのが、徹底した暴力によって押し付けられたルールに他ならなかった。こうしたルールに適応できなかった人々は野蛮人の烙印を押され、劣等人種として蔑まれ、徹底的な収奪の対象となったのだ。

彼らは地球上の全てを「近代化」しようと試みた。自分たちの文明こそが、唯一無二の優れた文明であると信じ込み、世界中を近代化しようと試みた。自分たちと異なる価値観が存在するとは認めずに、自分たちの価値観を強制し、従わないものは、殺戮、あるいは徹底的な搾取の対象とした。

アフリカ大陸の諸国家の国境線が、直線で区切られているのはなぜか。

それは、「文明人」たちにとって都合のいい国境を無理矢理設定されたからだ。

一四九二年はコロンブスのアメリカ大陸発見の年とされている。

だが、当時、そこには人々が住んでいた。他の人間が住んでいながら、大陸を「発見した」などと言える無神経は、自分たちの文明に至らない野蛮な人間など、人間に値しないという傲慢な意識の発露以外の何ものでもあるまい。

インディアンとして、徹底して差別の対象にあった先住民の戦士の言葉を紹介しておきたい。

「白人たちよ。いったい誰がおまえたちにここに来るように頼んだというのだ。偉大なる精霊は我々にここで生きるようにこの国をくれたのだ。お前たちにはお前たちの土地があるではないか。…（略）…いま、お前たちは生きるために働けばよいではないかという。しかし、偉大なる精霊は働かせるために我々をつくったのではない。狩りをして生きよと言ってつくったのだ。お前たち白人は働きたければ働けばよい。我々はけっしてお前たちの邪魔はしない。しかし、また新たに、お前たちは我々になぜ文明化しないのだと言ってきた。我々はお前たちのような文明を望まない。我々は我々の父や祖父たちが生きてきた

とおりに生きたいのだ。」（ラコタ・スー族の戦士クレージー・ホースの言葉）

多くのキリスト教徒、植民地主義者、帝国主義者によって虐げられた人々の数々の言葉を読んだが、このインディアンの言葉ほど胸打つ言葉はなかった。

確かに、彼らは自分たちの生き方を守りたいと願っていただけなのだ。しかし、その生き方は間違った生き方だと否定され、「文明化」を強要された。誰が、こうした「文明化」を頼んだというのだろう。自分たちの土地で自分たちの生き方に従って生活していればよいものを、白人たちは世界中の人々に、生き方の変更を力ずくで迫ってきた。

そして、我々の父祖もまた、生き方の変更を迫られた当事者だった。

●植民地にならないために慌ただしく近代化を遂行した日本

私自身の不明を恥じなければならないが、日本人が奴隷として西洋で売り飛ばされていた事実を知らなかった。西洋の植民地支配の実態を調査しようと様々な史料を読み込んでいるうちに、日本人が奴隷としてヨーロッパで売買されていたことを知った。

こうした日本人奴隷の存在に激怒したのが、豊臣秀吉だった。

秀吉は宣教師コエリォに対し、次のように問うた。

「なぜポルトガル人は日本人を購入し、奴隷として船に連れていくのか」

そして、さらに秀吉は続けている。

「予は商用のために当地方に渡来するポルトガル人、シャム人、カンボジア人らが、多数の日本人を購入し、彼らからその祖国、両親、子供、友人を剥奪し、奴隷として彼らの諸国へ連行していることも知っている。それらは許すべからざる行為である。よって、汝、伴天連は、現在までにインド、その他遠隔の地に売られて行ったすべての日本人をふたたび日本に連れ戻すよう取り計らわれよ。もしそれが遠隔の地のゆえに不可能であるならば、少なくとも現在ポルトガル人らが購入している人々を放免せよ。予はそれに費やした銀子を支払うであろう」

日本人を奴隷として購入し、連行する行為は、彼らから祖国、両親、子供、友人を剥奪する許すべからざる行為である。したがって、全ての奴隷を連れ戻せ、現在奴隷として購入している人々を解放せよ。実にまっとうな感覚だと言ってよい。

また、秀吉は、キリスト教徒たちの侵略行為を非常に警戒していた。秀吉がフィリピン総督へ宛てた手紙には、キリスト教徒に対する不信感が露わにされている。

重要なのは、この秀吉の不信感、警戒心が杞憂に過ぎなかったのか、否か、という点であろう。

実際のところ、私が調べた範囲では、直接、日本侵略を唆すようなキリスト教徒の言質は発見できなかった。

だが、多くの宣教師たちが中国を侵略せよと本国に手紙を送りつけていた。

例えば、イエズス会の東インド巡察使アレッサンドロ・ヴァリニャーノは、一五八二年十二月十四日にフィリピン総督に対して次のように書き送っている。

「これら東洋に於ける征服事業により、現在いろいろな地域において、陛下に対し、多くのそして大きな門戸が開かれており、主への奉仕及び多数の人々の改宗に役立つところ大である。これら征服事業は、霊的な面ばかりでなく、それに劣らず陛下の王国の世俗的な伸展にとって益する。そしてそれらの征服事業の内、最大のものの一つは、この中国を征服することである。」

宣教師自身が俗世の指導者に対して、軍事的な侵略行為が、精神的、宗教的な利益だけでなく、世俗的な伸展にも寄与するとほのめかしている点が興味深い。軍事的侵攻とキリスト教の宣教とが車の両輪の関係にあったことが明らかだろう。

他にも、マニラ司教のフライ・ドミンゴ・デ・サラサールはスペイン国王に中国への侵略を提案している。

「私がこの報告書を作成した意図は、中国の統治者達が福音の宣布を妨害しているので、陛下は武装してかの王国に攻入ることの出来る正当な権利を有するということを、陛下に知らせるためである。」

日本に対する直接的な侵略を示唆（しさ）する文言はなかったが、彼らが宗教的、俗世的利益の伸長のために、軍事的侵略行為を辞さなかったのは明らかである。豊臣秀吉以降、江戸幕府においても、キリスト教の布教が禁止されたが、それは今日の宗教的自由を侵害する、といった意味合い以上に、安全保障上の意味合いが強かったことに思いを致すべきであろう。日本人が野蛮であったから、キリスト教徒を警戒したのではない。彼らが世界中で侵略し、人々の生活を徹底的に破壊して回っていたからこそ、日本人は彼らを警戒したのだ。

日本人が再び植民地化の恐怖を感じるようになったのが、明治維新の時代だった。明治維新から大東亜戦争終結までの日本の歩みを一言で表せば、それは「独立自尊」を求めた歳月だったと言ってよい。植民地にならないために慌ただしく近代化を遂行した。近代憲法を制定し、国会を制定し、日清戦争、日露戦争に勝利した。生活のスタイルを激変させ、習俗も大幅に変化した。

何とかして、日本は一流国家として「独立自尊」の精神を保とうと努力し続けた。だが、そんな近代国家・日本に大きく立ちはだかったのが、人種差別の問題だった。

明治維新直後の日本は貧しく、多くの人々が外国へ移民に出かけた。その一つの受け入れ先がアメリカだった。この日本人移民に対する差別の問題が、大きな外交問題になっていった。

アメリカ、とりわけカリフォルニアにおける日本人に対する偏見はすさまじかった。日本人農家が農作物に毒物を混入しているといったデマや、日本人そのものが不潔であるといった人種偏見等々、まともに論じるに値しないような誹謗中傷がなされ、日本人の排斥(はいせき)を企図した排日移民法が準備された。選挙の際には「カリフォルニアを白く保とう」、すなわち、黄色人種である日本人を叩き出そう、という露骨な人種差別のスローガンが連呼され、日本人移民は、徹底的な差別を受けることになったのだ。そして、日本人が最も衝撃を受けたのは、日本人の移民を禁止する排日移民法が成立したことだった。

この排日移民法の成立を受けて内田良平は次のように述べた。

「人種差別待遇と我国民に対する大侮辱は、日本帝国に生を受くる者の到底忍び難き処である」

ルーズベルトと個人的に親しく、ポーツマス条約の締結に尽力した金子堅太郎は、次のように落胆した。

「四十年にわたり、日本とアメリカの友好のために尽くしてきた自分の生涯の希望がうちこわされ、もっとも冷酷な裏切りを味わった」

●「植民地支配粉砕」「人種差別撤廃」が日本の大義名分だった

人種差別の問題に関して、もう一つ、日本人が落胆した事件についても触れておかねばなるまい。

第一次世界大戦後の国際連盟の設立に際し、日本が提起した人種差別撤廃条項が否決された事件である。

日本は人種差別を禁ずるかなり過激で強硬な甲案、そして、理念として差別を禁止しようとする乙案を準備し、会議に臨もうとしていた。会議の前にアメリカ側の意向を探ると、案の定、甲案に対しては、否定的で、乙案に関しては賛同する意向を示した。

しかし、実際に会議が開催されると、かなり妥協した乙案に対する非難の声が上がり、なかなか落としどころを見つけるに至らなかった。人種差別撤廃条項に強硬に反対したのがオーストラリアのヒューズ首相だった。ヒューズが人種差別撤廃条項に反対した根拠は明白だ。それは、オーストラリアの国是(こくぜ)が人種差別そのものだったからだ。当時のオーストラリアは「白豪主義」を掲げ、白人至上主義を国家の基本方針に据えていたのだ。オーストラリアの強硬な反対のため、乙案も成立が厳しかった。

様々な対策を講じて、何とか日本は人種差別撤廃に関する文言を国際連盟の規約や前文の中に挿入しようと努力したが、かなわなかった。最終的に多数決で多数派を占めながらも、アメリカのウィルソン大統領は全会一致でないことを理由に、日本の人種差別撤廃に関する提案を否決したのだ。

大東亜戦争に際して、日本が掲げた大義名分は人種差別の撤廃であり、植民地支配の撤廃であった。当然、こうした大義名分のみが戦争の根拠、原因ではない。歴史は様々な要因が複雑に絡み合って動くものであって、単純化することは誤りだ。日本の政府、軍部の野望、戦略的過誤、驕り、アメリカ政府、軍部の野望、戦略的過誤、驕り、日米両国の様々な要因から勃発した。一つひとつを検証することが大切なことは言うまでもない。

だが、人類の歴史を巨視的に眺めてみたとき、植民地支配の粉砕、人種差別の撤廃を大義名分に掲げた戦争であったということの意味を忘れるべきではなかろう。

［初出］「日本悪玉論しか論じない　司馬、半藤型『昭和史論』はもう古い！」
（『月刊ウイル』二〇一六年九月号）

令和に生きる左翼思想

●〝「歴史」の終わり〟を宣言したフランシス・フクヤマ

現在から振り返ってみると、冷戦時代とは、ある意味で安定した時代であった。もちろん、共産主義国家による侵略の可能性があったという意味において危険が存在していたのは事実であり、脅威が存在しない平和な時代だったわけではない。それでも敢（あ）えて「安定していた」というのは、政治思想の次元で考えてみた場合のことを指摘したいからである。

冷戦時代の主要な政治思想は自由民主主義と共産主義であった。この時代にナチズムに魅（み）せられた人は少なかったし、自由民主主義、共産主義に代わる政治思想に基づく政治体制を唱えた人は少数派であったと言ってよいだろう。そして、歴史的事実、思想の解明を行えば、共産主義体制とは実は全体主義体制に他ならず、決して人々に幸福をもたらす政治体制ではなかった。共産主義の実態とは、マルクスの政治思想とレーニンの政治思想が掛け合わされた過激な全体主義思想に基づく非情な全体主義体制だった。とりわけ、レーニンが『何をなすべきか』という著作で端的に表明したように、無知な大衆を共産党の幹部が指導するという「前衛」思想こそが、左翼全体主義の理論的支柱であり、思想の核心に他ならなかった。

レーニンの理論に従えば、圧倒的多数の大衆は何をなすべきか知らぬまま、彼らを搾取する資本主義体制の下で資本家に操られている。本来は資本主義体制の根本的な転覆である革命へと向かうべきなのだが、あまりに無知なために目先の「賃上げ」等々に欺かれ、あたかも資本主義体制の下で幸福が到来したかのように思い込まされている。こうした愚鈍な大衆を啓蒙、あるいは扇動し、資本主義体制を打破する革命こそが唯一の選択であることを思い知らせるのが前衛たる共産党の役割に他ならない。

だが現実は、こうしたレーニンの理論とは全く異なって推移した。確かに、資本主義体制の中に欠陥があったのは事実だが、革命を起こして資本主義体制を転覆するのではなく、資本主義の欠陥を一つずつ補う形で自由民主主義社会は漸進的に改良されていった。一方、「前衛」たる共産党が大衆を善導するという共産主義体制は、国民の意思を全く無視することとなった。一人ひとりの人間の人権などまるで存在しないかのごとく扱われたのだ。スターリン時代のウクライナ飢饉は、スターリンの個人的な犯罪であるかのように非難されることが多いが、これは端的に言って誤りである。ウクライナ飢饉を含むすべての大量虐殺は、共産主義体制そのものが引き起こした犯罪であり、偶然、スターリンが指導者であったに過ぎない。スターリンという個人の犯罪であると主張する人々には、共産主義体制の悲惨な罪状をすべてスターリンに転嫁し、共産主義思想そのものを擁護しようという不純な動機が見え隠れする。同様にマルクスの思想がエンゲルスによって歪められたと説く人々にも、マルクス自身の誤りをエンゲルスによる誤りとすることによって、マルクスそのものを批判から救い出そうとする意図を感じざるを得ない。マルクス、レーニンがつくり上げた共産主義思想そのものが左翼全体主義を生み出したというのが歴史の真実であり、こうした事実から目を背けるような議論は卑怯な議論に他ならない。

　自由民主主義と共産主義とを冷静に比較してみれば、自由民主主義に基づく政治体制が共産主義に基づく左翼全体主義体制に勝っているのは明らかだった。ソ連が崩壊し、冷戦が終結した後に、フランシス・フクヤマは、自由民主主義が共産主義に勝利したのは歴史の必然であったと説き、自由民主主義体制こそが人類にとって最良の政治体制であると主張した。そしてフクヤマは、「歴史」が終わったと厳かに宣言した。ただし、ここで注意しておく必要がある。フクヤマは今後、事件が勃発することがないと説いていたわけではないということだ。冷戦終結後も湾岸戦争やテロ事件が相次いだ。これらはフクヤマの理解では「歴史」ではなく「事件」なのだ。ヘーゲルをコジェーヴ流に理解するフクヤマにとって、「歴史」とは政治体制の変革を意味している。すなわち自由民主主義体制がこれに勝る政治体制に移行することがあるのであれば、それは「歴史」を意味するが、自由民主主義体制を越える政治体制が出現することがない以上、「歴史」は終わった——これがフクヤマの主張だ。

　自由民主主義の勝利を高らかに宣言していたフクヤマは、近著『アイデンティティ』（朝日新聞出版）において、実に興味深い議論を展開しているので紹介したい。

●アイデンティティ・ポリティクスという危険思想

　英国のＥＵ離脱、トランプ大統領の誕生、ＥＵにおけるポピュリスト政党の躍進。これらの現象の根本に存在するのはアイデンティティの問題だ。アイデンティティとは、心理学者のエリクソンの言葉で、「自己同一性」との訳語があてられる。日本では、江藤淳の『成熟と喪失』が嚆矢となり、注目されるようになるのだが、江藤がアメリカと日本の問題という文脈で論じたように、この問題は個人的な問題から政治的な問題へと変化することが多い。

　経済学者の多くは、経済的合理性を人間行動の基本的な動機とするが、経済的合理性のみでは政治を本当に理解することは出来ない。戦場において自らの生命を危機にさらしてまで、戦友を助けようという行為は、合理性に反する行動に他ならないが、多くの人はこの心意気に感動するだろう。火事場で小さな子供を救うために大火の中に飛び込んでいく消防士、川に溺れた子供を助けようと飛び込む男。こうした自己犠牲を伴う人間の行動は、経済的合理性からは説明することが出来ない。政治哲学に造詣の深いフクヤマは、こうした人間の行動を説明するためにプラトンの『国家』における議論を持ち出した。プラトンは人間の魂の中には、智慧と欲望だけでなく、もう一つの重要な部分が含まれていると云う。気概（ｔｈｙｍｏｓ）である。プラトンの国家論は人間の魂を国家の似姿とみなし、智慧、気概、欲望の三つがそれぞれ国家の中にも存在すると考える。すなわち、国家の政治を司る哲学者（智慧）、国家を防衛する守護者（気概）、欲望のままに生きる大衆（欲望）である。気概は他者から侮蔑されることを否定し、自らを他者以上に優れた存在であると認知させようとする。

今日、自分たちの存在が不当に評価されていると感じる人々の多くが憤りを感じ、自分たちを正当に評価せよと主張している。移民の問題によって、自分たちの文化が危機に瀕していながら、政治的エリートの多くはそうした危機に鈍感で、未だに多文化共生主義などと唱えていることに対し反感が高まっているのだ。自分たちの守るべきものを守ろうとせずに、絵空事を唱える「リベラル」に対し、民族的、宗教的アイデンティティつまり集団的アイデンティティを重要視せよと右派が声を上げているのである。

では、なぜ今日、ヨーロッパ、アメリカにおいて右派が自らの集団的アイデンティティを擁護せよと声をあげたのか。それは左派の過剰なアイデンティティ・ポリティクスに対する、右派の集団的アイデンティティの反動である。この問題を考えるためには、左派によるアイデンティティ・ポリティクスについても説明しておかねばならない。

アイデンティティの問題を論ずる際に閑却してはならないのが、ルソーの『人間不平等起源説』『孤独な散歩者の夢想』で展開された議論だ。ルソーは、人間は本来純粋な存在であるが、社会によって汚されてしまうとの議論を展開した。本来の自己、内なる自我こそが純正であるとの思想がアイデンティティの問題で重要になってくる。社会では不当に評価されている自分自身の純正さをより公正に認知せよとの主張は、社会の評価と内なる自我とを比較し、内なる自我こそが是認されるべきであるとの前提に立つからだ。

左派がアイデンティティ・ポリティクスに傾倒し始めるのは、一九六八年以降である。一九六八年には、フランス、ドイツ、そして日本など世界各地で学生運動が燃え上がったが、この世代の左派の多くが、プロレタリア革命を目指す共産主義革命は限界を迎えていることを悟る。そしてプロレタリアの代わりに彼らが見出したのが、女性であり、あらゆるかたちの少数派（マイノリティ）だった。彼らはマイノリティのアイデンティティが不当に評価されていると考え、その権利を勝ち取ることを新たな政治的な目標に据えるようになった。つまり労働者による共産主義革命で左翼全体主義国家を樹立することが不可能だと思った左派が行きついたのが、マイノリティの権利を擁護するというアイデンティティ・ポリティクスだったのである。これがフェミニズムであり、「多文化主義」に他ならない。

フクヤマは『アイデンティティ』で、こう述べている。

〈左翼の議題は文化へと移行した。打倒されるべき必要があるのは現在の政治的秩序ではな

く、家庭や海外の発展途上国でマイノリティを抑圧している西洋文化、諸価値である。〉

●取り残された大多数のアイデンティティ

問題は、左派はマイノリティのアイデンティティを守るべきだと主張し、多様性こそが重要だと説いたのに、この多様性の中で大多数の人々が所属するものへの愛は否定されていたということである。黒人の権利、ＬＧＢＴの権利、移民の権利等々、社会的弱者と呼ばれる人々のアイデンティティを擁護せよと絶叫しながら、アメリカ国民のアイデンティティは否定されていたのである。そして、こうした左派のアイデンティティ・ポリティクスに辟易した庶民が怒りの声をあげた結果こそがトランプ大統領の誕生であり、ヨーロッパにおける右派政党の躍進だった。今起きているのは、「彼らのアイデンティティではなく、我々のアイデンティティを守れ」という本音の批判なのだ。

興味深いことに、左派の中からもアイデンティティ・ポリティクスに対する批判の声が上がっている。マーク・リラが『リベラル再生宣言』（早川書房）において、左派のアイデンティティ・ポリティクスを強く非難している。

〈リベラルは、アイデンティティ政治の藪に迷い込んでしまった。自分たちの態度を正当化するように、国を属性の違う集団ごとに分裂させるような論理を作り上げた。そして、特定の集団の利益のために怒りの声をあげたのだ。〉

〈私が言いたいのは、自分自身、そして自分自身が属する集団にばかり目を向けて他を顧みないことが、アイデンティティ・リベラリズムの大きな問題だということだ。〉

フクヤマもリラも国家の内部の特定の集団の権利擁護ばかりを叫ぶアイデンティティ・ポリティクスこそが、国民を分断させる元凶であるとの共通の認識をしている。

こうしたアイデンティティ・ポリティクスに対する処方箋として、二人が掲げている具体的な提案についても紹介しておこう。

フクヤマは、いま最も求められているのはナショナル・アイデンティティだという。国民をまとめあげる集団としてのアイデンティティがなければ、民主主義国家は機能しないというのが、その主張である。ナショナル・アイデンティティとは、人種的、民族的、宗教的なアイデンティティとは違う概念を指す。ナショナル・アイデンティティと人種的、民族的・アイデンティティが異なるというのは、日本人にとって理解しづらい点があるので少し説明しておこう。周知のようにアメリカは多民族国家である。彼らの先祖を辿っていけば、イギリス系、イタリア系、アイルランド系、アフリカ系等々、様々な民族に分かれていく。この民族の血統を重んじるようなアイデンティティはアメリカにとって重要ではないというのがフクヤマの主張である。そうした主張は、現在のアメリカ国民を統合するのではなく、分裂させてしまうだけだからだ。ならば、ナショナル・アイデンティティとは何なのか。それは具体的な血統や宗教ではなく、信条に関わるものだという。

〈アメリカ国民は実在的なアイデンティティを誇ることが出来る。それは立憲主義、法の支配、民主的な説明責任能力、そして「全ての人間が平等に作られた」という共通の政治的原則に関する信条の上に成り立つアイデンティティだ。〉

フクヤマは、左派のようにナショナル・アイデンティティを否定することはしない。なぜなら、ナショナル・アイデンティティには重要な働きがあるからだ。自由民主主義は、国民と政府、国民同士で暗黙の契約が交わされているとフクヤマは捉える。そして政府がより重要だと考える権利を守るために、ある種の権利（例えば、人を殺す権利等々）を放棄していると考える。この辺りは、ホッブズの社会契約論に似たような議論だが、この暗黙の契約を成り立たせるのが、ナショナル・アイデンティティだというのだ。

フクヤマは言う。

〈ナショナル・アイデンティティはこの契約の正当性を中心に構成されている。市民が同じ政体の一部と信じなければ、そのシステムは機能しないだろう。〉

同じ政体に所属しているという帰属意識、そして、それらの政治体制の民主的側面こそがナショナル・アイデンティティの中核に置かれるべきだというのがフクヤマの主張なのである。

一方、リラは次のように説く。

〈この状況から抜け出す唯一の方法は、アイデンティティの存在、重要性を否定することなく、アメリカ人であればアイデンティティとは無関係に全員が共有している何かを基に訴えることである。その何かこそが「市民という身分」である。リベラルは今こそ再び、市民という言葉を使って話をするべきだ。〉

〈特権階級から貧困層まですべての階層の人たちに同じアイデンティティを持たせ、全員をそのアイデンティティで結びつけるのだ。…（略）…誰もが皆、「市民」というアイデンティティを持っているという意識が広まれば、皆が同じであるという実感が持てるようになる可能性がある。〉

フクヤマもリラも、目指すところは極めて似ていると言ってよい。フクヤマは「ナショナル・アイデンティティ」と呼び、リラは「市民としてのアイデンティティ」を強調しているが、自国民全てに共通するアイデンティティを付与することによって、民主主義機能の復活を目指しているのである。

だが、事態は彼らが想定している以上に深刻だというのが私の解釈だ。フクヤマもリラも自由民主主義社会の基本的な原則について同意が出来るという前提で議論を進めている。しかし、実際にヨーロッパに目を向けてみよう。ヨーロッパに流入するイスラム系の移民の中には自由民主主義社会の前提を受け入れていない人々が少なくない。例えば、自由民主社会では価値の多源性が前提とされ、信教の自由が認められているが、イスラム教の中には信教の自由を認めないという人々も存在する。イスラム教に従うことが正しい生き方であり、それ以外は間違っていると考える人も存在するのだ。自由民主主義体制の下で、近代的な自由の概念を認めようとしない人々と共存することが出来るのかどうかは実に複雑な問題をはらんでいると言っても過言ではないだろう。

フクヤマやリラのアイデンティティ・ポリティクスに対する議論から日本人である我々が学ぶべきなのは、その処方箋ではなく、そうした混乱状況に陥(おちい)ることのないように警戒することだ。

●共産主義の敗北から三十年経って今なお……

平成の御代(みよ)は冷戦の終焉つまり共産主義の敗北の直後に始まった。欧米ではすでに共産主義は左翼の理念として成り立ち得なくなっている。しかし、日本においては令和の御代という新しい時代が始まろうとしているのに、いまだに日本共産党という共産主義社会を夢想する時代錯誤な人々が存在する。彼らは日本人に向かって、日本の過去を直視せよと叫び、日本人の謝罪を求めるが、全く奇妙な人々である。日本人に声高に説教をするまえに、彼ら自身が共産主義者、共産主義国家がいかなる苛烈な人権弾圧に手を染めたのかを痛切に反省すべきであろう。共産主義とはナチズムと並ぶ全体主義思想であり、人類に災厄をもたらす政治思想であることは、誰が見ても明らかである。ナチズムの復活を目指す人々に対して警戒しなければならないのと同様に、共産主義社会を夢想する人々に対しても警戒を緩めるべきではない。

ただ、現実問題として、共産主義思想が日本国民の多くを魅了する思想でありつづけているのかと問えば、その答えは否ということになろう。スターリンの率いるソ連や金正恩の指導する北朝鮮のような国家を目指したいと考える人は極めて少数派であると言ってよいはずだ。

令和の御代に良識ある日本国民が真に警戒すべきなのは、日本国にアイデンティティ・ポリティクスを持ち込もうと画策する人々だ。フェミニズム、多文化共生主義のような思想に毒された人々の破壊衝動を軽視することがあってはならない。

琉球独立論やアイヌ問題を殊更に騒ぎ立てる人々がいる。確かに歴史的経緯を振り返れば、様々な問題があった。そのことは否定しない。だが、最も常識的で賢明な方法は、同じ日本国民であるというアイデンティティを共有しながら、現状を改善していくことだろう。琉球、アイヌは日本とは異なると主張し、日本国民の間に亀裂を走らせようとする人々には警戒しなければならない。沖縄やアイヌの人々にとっては歴史的に遡(さかのぼ)って、不満なこともあろうが、現在において、同じ日本国民としての権利を享受していることも忘れてはならない。

世界の中で眺めてみれば、日本国民として生まれたということは、非常に幸運なことだ。シリアやイエメンといった国家、部族間同士でいがみ合うアフリカの国家に生まれたと想像してみればよい。そうした国々では国民としてのアイデンティティが確立しておらず、宗教や部族等々のアイデンティティが強い。国民同胞を同胞として受け入れることが出来ない状況こそが、内戦状態を惹起しているのだ。

国家の秩序維持と発展のために何よりも重要なのは、「同じ国民である」と感じることのできる想像力だ。同胞としての意識を破壊することは、百害あって一利なき危険な行為である。それを我々は認識し直すべきであろう。もちろん、保守派も国家の分断工作に加担するようなことがあってはならない。例えば、沖縄の基地問題を巡って一部で同胞である沖縄県民の人格を侮蔑するような発言が散見されるが、これはアイデンティティ・ポリティクスを助長することになり、極めて愚かで危険なことであると指摘しておきたい。政治的姿勢を批判するのはともかく、あくまでも沖縄も日本だという意識は忘れてはならない。

●日本を分断しないためには――

豊かな歴史を持つ我が国は僥倖（ぎょうこう）の国であると言っても過言ではない。なぜなら、国民を束ねる象徴として天皇陛下を戴く国家であるからだ。明治維新にせよ、大東亜戦争敗戦後の驚異的な経済成長にせよ、その根源には天皇陛下の存在があった。国民の分断を防ぎ、つねに国民を束ねてきたのが天皇なのである。

東日本大震災の際、被災地に赴いた菅直人総理に対して、仮設住宅で暮らす被災者から厳しい批判の声が上がったことがある。これに対して、一人ひとりの国民に真摯に向き合った天皇陛下を批判したという声は聞かない。私の友人が居酒屋で飲んでいたとき、東日本大震災に関する天皇陛下のお言葉がテレビで報道されたという。誰かが、「あ、天皇陛下だ」と言うと、にぎやかだった居酒屋に一気に静寂が訪れたという。誰もが天皇陛下のお言葉を静かに聞きたいと思ったからだろう。

日本の繁栄、強さは、その根本にある天皇陛下のご存在による。アイデンティティ・ポリティクスとともに警戒すべきは、皇族に「人権」を持ち込もうとする左派の存在である。彼らは結婚の自由等々の具体的な問題を論じながら、皇族が「かわいそうだ」と主張する。基本的人権が侵害されており、同情しているという。だが、彼らの真の狙いはそこにない。同情している素振りを見せながら、我が国を我が国たらしめているアイデンティティの中核である皇族を、一般国民と同列に論ずることにより、否定しようとしている。

令和の御代において我々は、日本国民のアイデンティティを守り続けるために努力しなければならない。国家を内乱状態に追いやるアイデンティティ・ポリティクスの陥穽（かんせい）に陥らないよう気を配るべきなのだ。そして、我が国のアイデンティティの核である天皇陛下、皇族をお守りする努力を忘れるべきではない。

大切なものは、失ってからその大切さに思いが至るという。我が国における天皇陛下の偉大さは、失われてしまっては永遠に取り戻すことが出来ない存在なのである。多くの国民にその存在が自明視されている偉大な存在を、全力で守り抜くのが保守主義の基本である。

［初出］「共産主義の敗北から三十年…令和に生きる左翼思想」（『正論』二〇一九年六月号）

ア然・ボー然……この人たちの五輪論

●あまりにも当事者意識を欠いた非現実的な議論

安倍政権が成立させた平和安全法制を巡って激しい批判の声が高まっていた二〇一五年、私はこの批判の声を記録しておくことの重要性を痛感し、『平和の敵 偽りの立憲主義』（並木書房）という一冊の本を書いた。批判が正鵠を射ていたから記録しようと思ったのではない。あまりにも極端で大袈裟な批判であり、このような不正確な恫喝と中傷めいた批判の声を上げていた人間が誰だったのかを書き残す必要があると考えたからだ。

「集団的自衛権の限定的な行使容認によって立憲主義が破壊される」「徴兵制がやってくる」といった批判が見当外れだったのは、現在では明らかだろう。だが当時、憲法をめぐるシンポジウムに参加した際、高校生から真剣な面持ちで「僕たちは徴兵され、戦争に行かなければならないのでしょうか」と質問された。「リベラル」を自称する野党や知識人たちの批判、そしてそれを煽動的に報道するマスメディアによって、真面目な高校生が踊らされていたのが気の毒でならなかった。政治家や学者たちが真剣に「戦争がやってくる」「徴兵制がやってくる」とテレビで堂々と発言していたら、そうした不気味な予言に恐怖心を抱く高校生が存在しても、それらその人たちの罪だとは言えない。政権批判のために国民を恫喝していた政治家や学者、そして、そうした声をまるで事実だと言わんばかりに報道していたマスメディアの問題だ。

現在、オリンピックの開催に関して反対の声を上げている政治家、知識人が多い。コロナ禍という非日常的な生活を余儀なくされる環境下で、オリンピックが開催できるかどうかについて不安に思う人々が存在するのはおかしなことではない。だが、その批判は的外れなものではないかどうかを検討し、記録しておくことには意義があるはずだ。

立憲民主党の枝野幸男代表は、六月十一日の外国人特派員協会において次のように指摘した。

「日本の国民の命と暮らしを守るという責任を負っている日本のリーダーの責任としては、選手の皆さんのことを考えるとなんとか開催をしたい気持ちは山々ですが、ワクチンの効果が間違いなく現れることが期待される一年延期か、中止かという選択をＩＯＣとの間で交渉すべきであると言わざるを得ません」

菅総理への不信任案を提出した際にも、次のように述べた。

「ＩＯＣ等との間で、開催の一年延期や、やむを得ない場合は中止を含めて、真摯に交渉すべきです」

ＩＯＣに対して中止、延期の交渉を求めよと言うのだが、相手が交渉に応じなければどうするつもりなのだろうか。ＩＯＣとの間で交わされた『開催都市契約２０２０』を調べてみると、オリンピックの開催に関してＩＯＣが絶大な権限を持っていることがわかる。契約の71番を読んでみると、契約を交わした当時、予測も出来なかった事態が起きた際、東京オリンピック委員会はＩＯＣに対して、開催の変更を求めることは可能だとされている。しかし、「ＩＯＣは、当該変更につき考慮、同意または対応する義務を負わないことが理解され同意されている」とも明記されている。すなわち、日本側からすればお願いすることは出来るが、それを受け入れる、受け入れないはＩＯＣの自由であるということになっているのだ。仮に交渉を行ったところで、ＩＯＣが開催は決まっていると態度を改めなければどうするのか。

ここでの枝野氏の議論は非現実的である。外国人特派員協会で、「現段階でオリンピックの開催を止めることは可能かどうか」を問われた際、枝野氏は次のように応答している。

「制度的に言えば、日本の出入国の権限は日本政府が持っているわけですから、それを止めてしまえば強引にでも止めることは可能です。したがって、その権限を背景にしてＩＯＣと交渉するということであれば、まだ間に合うと思います」

出入国の権限を持っているのは事実だが、オリンピック潰（つぶ）しのためにそうした権限を行使した場合、各国からどのような反応が返ってくるのかを真剣に考慮しているとは思われない発言と言わざるをえない。自分たち自身が政権を担う立場であったら、このような発言は不可能だったのではないか。かつて五五年体制下で社会党は自衛隊の存在は違憲の存在であり、日米安保は不要であると主張していた。だが、自社さの連立により村山富市政権が発足すると、従来の主張を弊履の如く捨て去り、自衛隊合憲、日米安保は重要であると言い始めた。自分たち自身の発する言葉を信じてこなかったのが社会党という政党だったことが明らかになった瞬間だった。野党が非現実的なことを主張する際には、政権を担った際に本当に実現可能なことなのかどうかを考えてみる必要がある。この枝野氏の発言は、あまりにも当事者意識を欠いた非現実的な議論であったと言わざるをえないだろう。

●またしても二枚舌の『朝日新聞』

また、今回のオリンピックを巡る中止論の中で大きな影響を与えたメディアが『朝日新聞』である。周知のとおり、東京オリンピックでは日本のマスメディアがこぞってスポンサーとなっている。協賛金を六〇億円拠出するオフィシャルパートナーになっているのが、『読売新聞』『朝日新聞社』『毎日新聞』『日本経済新聞』であり、一五億円を拠出するオフィシャルサポーターになったのが『産経新聞』と『北海道新聞社』である。全国紙の全てがスポンサーとなっている点は注目に値する。

『週刊ポスト』(五月二十四日発売号)がこれらのスポンサーとなっている各社に、三つの問いを突き付けた。一、七月開催に賛成か、二、開催の場合は無観客にすべきか、三、有観客で開催の場合、社員に会場での観戦を推奨するかの三つの問いである。これについて、『朝日新聞』、『日本経済新聞』、『産経新聞』、『北海道新聞』は回答を差し控えるものであり、『読売新聞』、『毎日新聞』も三つの問いに正面から向き合った回答を出していない。『朝日新聞』から『産経新聞』にいたるまで回答を避けているという点が印象的だった。常日頃、政治家がマスコミの問いに答えようとしないことをさんざん非難しておいて、自分たちは回答を差し控えるのかと半ば呆れてしまった。

『朝日新聞』の立場が変わり始めるのは、慶応義塾大学の山腰修三教授の「五輪の是非論、不作為続けるメディア」との論考を載せた後だ。山腰教授は次のように説いた。

〈5月13日現在、朝日は社説で「開催すべし」とも「中止（返上）すべし」とも明言していない。組織委員会前会長の女性差別発言以降、批判のトーンを強めている。しかし、それは政府や主催者の「開催ありき」の姿勢や説明不足への批判であり、社説から朝日の立場が明確に見えてこない。〉

〈「中止」を主張する識者の意見や投書、コラムを載せ、海外メディアの反応も伝えている、という反論もあるかもしれない。だが、それでは社説とは何のために存在するのだろうか。〉

オリンピックについての朝日新聞社の立場を旗幟鮮明（きしせんめい）にせよとの主張だが、この山腰氏の主張は傾聴に値する。『朝日新聞』は社説で自らの立場を主張するよりも、識者の意見、投書を利用して自らの意見を匂（にお）わせようとする傾向が強い。これは集団的自衛権の限定的な行使容認を巡る議論の際も同じであり、社説では「徴兵制がやってくる」とは書かない。徴兵制がやってくると主張する「識者」（実際には無見識そのものの人物）、読者の投書をつかってネガティブな情報を発信していた。そうした他者を利用して自らの立場を漠然と示そうとするのではなく、自らの言葉を社説で論じよというのは全く同感である。

その後、山腰氏の批判に応じるような形で『朝日新聞』は五月二十六日の社説で「夏の東京五輪　中止の決断を首相に求める」を発表し、自らの立場を明らかにした。

社説では、次のように説いている。

〈この夏にその東京で五輪・パラリンピックを開くことが理にかなうとはとても思えない。〉

〈冷静に、客観的に周囲の状況を見極め、今夏の開催の中止を決断するよう菅首相に求める。〉

コロナ禍におけるオリンピック開催は理にかなっておらず、中止を決断せよとの主張は明快だ。しかし、同日に「東京２０２０オフィシャルパートナーとして」との文章も発表して、次のように主張していたことを閑却してはなるまい。

〈新型コロナウイルス感染の拡大により、大会の開催を懸念する声が広がるなど、さまざまな議論がなされる状況となっています。感染状況などを注視し、オフィシャルパートナーとしての活動を続けてまいります。〉

社説ではオリンピックの中止を主張していたかと思えば、もう一方の文章ではオリンピックを応援する活動を続けていくというのだから、これほど奇妙なことはない。いったい、この二枚舌のような姿勢は何なのかと呆れざるを得ない。

立憲民主党の枝野代表にしても『朝日新聞』にしても、説得力のある議論でオリンピックに対して断固として反対であるという強い姿勢はうかがえない。世論の動向を見ながら、何となく反対の声を上げておいたほうがよさそうだ程度の消極的な反対論に思われる。開催都市条約を読めば、ＩＯＣが強硬に開催論を唱えた場合、中止や延期を求めることが非常に困難であることは明らかであり、どのようにＩＯＣと議論するのかを想定しない議論はほとんど無意味だと言わざるを得ない。

●知性や品性をまるで感じさせない『街場の五輪論』

他に強硬な反対論を展開している人々はいないのかと思い、探してみると、断固としてオリンピックに反対している人々が存在した。コロナ禍という非日常であるから、ある程度極端な議論を展開する人が存在するのは致し方ないが、いったいどのような意見に基づいて批判の声を上げているのかと思い、確認してみると驚いた。コロナ禍以前に、強硬に反対論をぶち上げているのだ。しかも、ＩＯＣを説得する方策など何も主張されておらず、とにかく「オリンピックを開くのには反対だ！」と気勢を上げている人々だった。

一読した後に、これは「奇書」の類だと思わずにはいられなかった。内田樹氏、小田嶋隆氏、平川克美氏の鼎談『街場の五輪論』（朝日文庫）である。

東京オリンピックの開催が決まった後に行われた鼎談（ていだん）なのだが、論理や根拠がなく、ほとんど思いつきで語っている感想に過ぎない。「街場の」という形容詞をつけて、本格的な議論ではないと言い訳をしたかったのだろうが、それにしても内容が悲惨である。

内田氏は、東京オリンピックを招致できた理由について次のように論ずる。

〈招致派の連中は、招致が成功した理由の一つが憲法九条にあることを絶対に口にしない。〉

〈誰が何と言っても、オリンピックの招致の成功をもたらした最大の功績者は九条と、それによって保たれた戦後日本の平和という歴史的事実なんだよ。招致派がそれを隠蔽しようとしていることに僕はほんとうに腹が立つんだ。〉

ここまで来ると、日本国憲法、とりわけ憲法九条への信仰と言っても過言ではあるまい。確かに、「戦後日本の平和」があるからこそオリンピックの招致が成功したという点はあるだろう。だが、戦後日本の平和を担保してきたのは憲法九条ではなく、自衛隊と日米同盟だ。仮に自衛隊も日米同盟も存在しなかったとすれば、憲法九条が存在していようがいまいが、戦後日本の平和はありえなかったはずだ。「オリンピックの招致が出来たのも憲法九条のおかげです」との内田氏の言説は、自分の思いつきでしかない。思いつきで腹を立てていても、周りにとってみれば迷惑な話でしかないだろう。

近所の井戸端会議か居酒屋での下世話な談義と思わせるような内容が延々と続くのも本書

の特徴である。オリンピックの総合プロデューサーや音楽を担当するのは誰かなどという会話は特にひどい。

内田 総合プロデューサーは秋元康か。

平川 可能性はあるね。

小田嶋 クールジャパン推進会議のメンバーをやってますからね。

平川 ということはＡＫＢ48か。

小田嶋 ちょっとトウの立ったＡＫＢ48が出てきちゃう（笑）七年後のＡＫＢなんて、見られたもんじゃないと思うんですよ。Ｘ ＪＡＰＡＮのＹＯＳＨＩＫＩが「音楽の依頼があったら受ける」と言ったらしいですけど、いまもうすでに四十台後半でしょう。七年後は五十歳すぎてますよ。困ったことですよね（笑）。

内田 ＥＸＩＬＥじゃないか？

小田嶋 たしかに、ＥＸＩＬＥは招致に貢献していますからね。招致ポスターにずっと名を連ねてたでしょう。借りを返さないといけないですよね。安倍さんあたりがアピールしたい新しい日本人像って、あのへんですよね。

内田 そうそう、ヤンキーだね。

平川 色黒の、ちょっとガタイのいい。

怒りを感じるというよりも呆れてしまってモノが言えなくなるような感覚に囚われるのは私ばかりではないだろう。仮に自民党の政治家が「七年後のAKBなんて、見られたもんじゃない」などと発言すれば、「リベラル」を中心に「女性蔑視だ!」との非難の大合唱が起こるレベルの発言だし、安倍元総理が目指していた「新しい日本人像」がEXILEのメンバーであったなどという根拠はあるのだろうか。活躍するグループを「ヤンキー」の一言で斬(き)り捨てるあたりにも、無根拠な「上から目線」を感じずにはいられない。

訳の分からないふざけた議論は延々と続く。

小田嶋 オリンピック自体、合コンに似たところがあるじゃないですか。

内田 え、わかんない。どこが似てるの(笑)。

小田嶋 「俺が女を調達するからよ」みたいなエゲツない話ですよ。

知性や品性をまるで感じさせない会話と言うより他ない。オリンピックが「合コン」に似ているとの指摘には首をかしげざるを得ないし、合コンで「俺が女を調達する」などと息巻いている人がそれほど多いとは思えない。女性を物扱いする、とてつもなく差別的な感覚だと思うのだが、いかがなものだろうか。

この『街場の五輪論』の主旨は、端的に要約することが出来る。オリンピックが招致できたのは憲法九条のおかげである。しかし、オリンピックが拝金主義にまみれていて気に入らない。こんな大会、日本で開催するんじゃない！ との結論だ。勿論、オリンピックと拝金主義については批判の余地があり、IOCの在り方そのものにも批判すべき点が多いというのが私の立場だ。しかしながら、この『街場の五輪論』では思いつきだけでなく、事実誤認に基づく批判もある。

例えば、IOCの放映権について次のように批判する。

小田嶋 IOCが放映権を押さえて、「オリンピックをテレビ中継したいんだったら、これだけの金を払え」ということになったのは、たぶんロスからこっちですよね、ピーター・ユベロス（ロス五輪大会組織委員長）が、メジャーリーグで成功したビジネスモデルをオリンピックに持ち込んだんです。

本書を読んだ読者は、そのように信じ込むであろう。だが、実際に調べてみると、これは事実誤認である。まず、オリンピックの最初のテレビ放映がなされたのは、一九三六年のベルリンオリンピックである。このときは実験的に行われた。テレビの放映権の請求が始まったのは一九五六年のメルボルン大会からであり、それ以降のオリンピックではテレビ放映権によって巨額の資金がオリンピック委員会に流れ込むことになった。

ピーター・ユベロスがロサンゼルスオリンピックで活躍したことは事実だが、それは放映権を思いついたことではない。彼が実現したのは大企業のスポンサーを囲い込むことだった。ライセンス制度を設け、スポンサーとなった企業の広告や商品に五輪マークを使用することが許可された。当時、IOC委員長だったサマランチは、オリンピックの収入減がテレビ放映権料だのみにならぬよう気を配っていたのである（以上、ジュールズ・ボイコフ『オリンピック秘史』早川書房を参照）。

本書を出版した朝日新聞出版は、極めて差別的な言説や事実誤認について訂正する義務がある。根拠のない思いつきや事実誤認によって国民をミスリードするようなことがあってはならないと強く主張しておきたい。

●激動する国際政治の中での五輪論こそが必要

IOCは建前としてスポーツと政治は無関係であることを強調する。しかし、国際的な巨大イベントが政治と無関係に存在できるはずがないのが現実だ。現在、真に求められているのは、大きな政治の潮流の中でオリンピックをいかに位置づけるのかということだ。『街場の五輪論』ではなく、激動する国際政治の中での五輪論こそが必要なのだ。『朝日新聞』にも枝野氏の五輪批判にも大きな視点が欠落していると言わざるを得ない。コロナ禍、そして激動する国際情勢の中、我が国でオリンピックを開催することの意義は、我が国だけの問題ではないと考えるべきだ。それは自由や民主主義といった価値観の重要性を今一度訴える大きな意義を有している。

アメリカをはじめとする自由民主主義体制に対して、中国をはじめとする権威主義体制、さらに踏み込めば全体主義体制が挑戦しているのが現下の状況である。冷戦直後、フランシス・フクヤマは『歴史の終わり』において、自由と民主主義が勝利を収めると豪語した。しかし、現実の流れは異なった。中国は経済成長を遂げたにもかかわらず、自由と民主主義体制を受け入れようとしていないのが現実なのだ。自国内において政治的自由を認めないことは、天安門事件の段階で明らかだったが、新疆ウイグル自治区における「ジェノサイド」、香港における民主主義の破壊など、習近平体制の下でますます全体主義的傾向を強めているのは明らかだ。

現在、中国が打ち出したいのは、自らの体制を擁護するプロパガンダに他ならない。中国共産党の指導する全体主義的体制、「特色ある社会主義」体制こそが、自由民主主義体制よりも優れた政治体制であるとの宣伝が重要になってくる。そのために中国は、2022年の北京オリンピックを最大限利用するだろう。彼らはオリンピックを中止も延期もしないはずだ。すでにコロナ禍に打ち勝った中国の政治体制の偉大さを讃仰(さんぎょう)する場とするだろう。その中で、仮に日本でオリンピックの開催をすることが不可能であった場合、中国は自由民主主義体制の脆弱性と喧伝し、自らの全体主義的体制の擁護に全力を挙げるはずだ。この点に目をつぶってオリンピック開催の是非を論じるのは、あまりに大局を見失った議論だと思わずにはいられない。

G7における共同声明では、中国に対して厳しい言葉が並んだ。新疆ウイグル自治区における人権の擁護、香港の高度な自治の要求、東・南シナ海における一方的な措置に対する批判。これらは各国の懸案事項であり、自由と民主主義体制とは根底から異なる中国の全体主義体制を容認できないとの主張でもあった。これに対して、在英中国大使館は声明で「中国の内政に干渉すべきではない。中国の評判を傷つけてはならない。中国の国益を侵害してはならない」と強く反発し、中国外務省の趙立堅副報道局長は「米国は病気だ。病は軽くない」と中傷じみた発言を行った。

米中が対立する時代とは、自由民主主義体制と全体主義体制が争う時代であるということだ。日本が全体主義国家のお先棒を担ぐようなことをしてはならないのは当然だ。仮に東京オリンピックを開催できなければ、結果として中国の全体主義体制にお墨つきを与え百年の悔いを残す結果となるであろう。

現在、オリンピックに向けて努力を重ねている選手たちが存在する。コロナ対策に十分気を遣いながら、日本人選手たちを応援しようではないか。そして心の底からオリンピックを楽しめばいい。重い病と闘った末にオリンピックへの参加が決まった池江璃花子選手は優勝してくれるだろうか。スポーツに全く興味のない私ですら関心があるのだから、スポーツが好きな人々は心の底からオリンピックを楽しめばよいのだ。遠慮や気兼ねは不要である。

●「ナショナリズムの発露は怖い」と語る「リベラル」の滑稽

最近、スポーツで日本を応援することや日本人選手の活躍に拍手喝采を送ることを危険なナショナリズムの顕れと見なす人々や、程度の低いナショナリズムの発露と揶揄する人々が存在する。私自身の実際の経験だが、大学院時代の講義で某教授が深刻な表情で受講生に問い始めたことがある。「昨日、被害に遭った人はいませんか？」。私は何か事件が起こったのだと思いながら聴いていたが、別に大きな事件は起こっていなかったはずなので、何を言いたいのかが分からなかった。多くの受講生が不思議そうな顔をしていたのだろう。厳かに某教授は問いかけた。「昨日の試合で日本が勝った時、国旗が掲揚され、国歌が流されたでしょう。あの光景を見て精神的被害を受けた方はいませんか？」

何ということはない。日の丸が掲揚され、君が代が流されたことに立腹しているのだった。その教授が何のスポーツ試合を指していたのかは覚えていないのだが、スポーツの際のナショナリズムまで否定してインテリぶっている「リベラル」は滑稽だし、傍から見ていたら気の毒な存在だとすら思ったことを覚えている。

私は、スポーツとナショナリズムが無縁の存在であるなどと主張するつもりはない。人々が国家に対して帰属意識を抱くからこそ、スポーツ観戦が熱を帯びるのは事実である。もちろん、自分自身の個人的な友人を応援しようという人も存在するだろうが、圧倒的多数の日本国民が日本人選手を応援するのは、我が国の代表として選手が頑張っているからに他ならない。こうしたナショナリズムをどのように捉えるのかということが問題となってくる。

全てのナショナリズムを否定して、愚かなことだと軽蔑する「リベラル」が多い。だが、私はそういう考え方に与（くみ）するつもりはない。いつの時代にも人間は適度な帰属意識を持って生きてきた。どこかに帰属し、所属することによって、「自分らしさ」という漠然としたアイデンティティを確認するのが人間という生き物の宿命のはずだ。現在でも大多数の人間にとって、国家や民族といった枠組みが与える帰属意識は大きな意味を持っている。確かに差別や排外主義に繋がりかねない野蛮なナショナリズムがみられるのならば危険だろう。だが、我が国の選手が活躍することを願う純粋な気持ちは野蛮さとは無縁である。

誰が何と言おうとも実際にオリンピックが開催されれば、多くの日本国民が選手たちの活躍に声援を送り、幾つもの場面で感動することになるだろう。そのとき、オリンピックの反対を求めていた『朝日新聞』は、スポーツ欄でオリンピックを取り上げないのだろうか。枝野代表をはじめとする立憲民主党、そして共産党の政治家たちは、オリンピック開催中にもオリンピックの反対の声を上げ続けるのだろうか。

おそらく、そんなことはあるまい。表では「ナショナリズムの発露は怖い」などと語っている「リベラル」たちも、家ではこっそりとテレビをつけ、日本人選手の活躍に涙しているのではないだろうか。

ワールドカップやオリンピックが盛り上がるのは、我々の心の中に否定しがたいナショナリズムが確固として存在するからなのだ。現実を無視しても何も始まらないことを、「リベラル」は自覚すべきだろう。

[初出]「ア然、ボー然　この人たちの五輪論　枝野幸男・内田樹ほか」
（月刊ウイル』二〇二一年八月号）

岩田 温（いわた　あつし）

政治学者。日本学術機構代表理事。1983年生まれ。早稲田大学政治経済学部政治学科在学中に、『日本人の歴史哲学』（展転社）を出版。同大学大学院政治学研究科修士課程修了。専攻は、政治哲学、政治思想。YouTube動画「岩田温チャンネル」はチャンネル登録者数16万人突破。著書に、『偽善者の見破り方』（イースト・プレス）、『「リベラル」という病』（彩図社）、『エコファシズム』（有馬純氏との共著、扶桑社）、『政治学者、ユーチューバーになる』『いい加減にしろ！』（以上、ワック）、『日本再建を阻む人々』（かや書房）など。

興国と亡国 ──保守主義とリベラリズム

2023年11月10日　第1刷発行
2023年11月26日　第2刷発行

著　者　　**岩田 温**

発行人　　岩尾悟志
発行所　　株式会社かや書房
〒162-0805
東京都新宿区矢来町113　神楽坂升本ビル3F
電話　03-5225-3732（営業部）

印刷・製本　　中央精版印刷株式会社

Printed in Japan
ISBN978-4-910364-38-4　C0031